Les recettes de Sam

Sam Stern
et Susan Stern, avec qui il a fait ses débuts

GALLIMARD JEUNESSE

Sommaire

J'ai écrit ce livre pour les jeunes comme moi, qui aiment cuisiner ou qui ont envie d'apprendre. Il est plein de recettes simples et savoureuses – le genre de choses que mes copains et moi aimons manger… !

Tu trouveras vraiment tout sur la cuisine dans ce livre. Des snacks que tu pourras avaler en regardant les Simpson à la télé, aux repas complets que tu serviras à ta famille. Chez nous, cuisiner est un véritable défi. Je suis le cadet de cinq enfants. Une de mes sœurs est végétarienne. Une autre l'a été et ne mange pas de viande rouge. Mon frère est fana de viande. Mon père n'est vraiment pas difficile, mais le chocolat et le fromage – ce qu'il préfère ! – lui sont interdits. Ma mère, elle, refuse tout ce qui est trop dur pour les dents. Quant à moi, je mange de tout, sauf des bananes et du brocoli. Pour satisfaire tout le monde, il faut proposer une grande variété d'aliments. J'ai appris à préparer des plats de tous les jours, et c'est comme ça que j'ai accumulé toutes les recettes présentées dans ce livre. Il y en a vraiment pour tous les goûts. Tu trouveras ce que j'appelle des plats «costauds» – le genre de choses qu'on a envie de manger quand on vient de faire des heures de sport, qu'on a une faim de loup et besoin d'un vrai repas; des plats bénéfiques pour l'activité du cerveau, qui stimulent les neurones et les papilles et calment les nerfs – exactement ce qu'il faut en période d'examens. Il y a aussi des plats qu'on peut manger quand on a un peu tendance à se prélasser sur le canapé mais qu'on ne veut pas se retrouver avec la silhouette d'un canapé ! Tu trouveras des idées qui te permettront de rester en forme et de garder la ligne. Enfin, ce livre te propose des recettes pour des repas de fête vraiment impressionnants !

Pourquoi j'aime cuisiner?
Eh bien, moi qui ne suis en général pas très patient, je peux passer des heures à couper, mixer, fouetter et mélanger des ingrédients: c'est une vraie détente, en fait. Je commence par aller dans la cuisine et à mettre de la musique. J'aime tous les côtés techniques qui vont avec la cuisine; apprendre les bases: faire de la pâte, du pain, de la pâtisserie, des sauces, des soupes en suivant exactement les consignes du livre. Puis, une fois que j'ai pris confiance en moi, je deviens plus créatif: j'oublie la manière dont ma mère s'y prend, et je fais les choses à ma façon. Quand on cuisine, il faut prendre la situation en main et s'en remettre à son propre jugement.
Ce qui me plaît, c'est que la cuisine

fait appel aux sens. La texture d'une pâte, l'odeur du chocolat qui fond et du pain frais; le grésillement d'un aliment en train de frire ou du pop-corn qui éclate… Quand on fait les choses soi-mêmes, on est en contact direct avec ses aliments, et cela me plaît! On fait ses propres choix. La vraie cuisine, c'est mettre la main à la pâte… pas seulement d'ouvrir le congélateur pour attraper une pizza!

Cuisiner permet même de trouver les courses moins pénibles. Avant de me mettre aux fourneaux, je détestais faire le marché. Maintenant, rechercher les meilleurs ingrédients est devenu une vraie mission, et je fais souvent équipe avec ma mère. C'est tout un art: sais-tu qu'il suffit de palper ou de sentir un fruit pour savoir s'il est mûr? Ou que certains détails permettent de deviner si une viande est tendre ou si tu risques de te casser les dents dessus? Ou encore, qu'on peut juger de la fraîcheur d'un poisson en le regardant droit dans les yeux? J'adore tout ça.

S'il y a une règle à suivre pour faire les courses, la voici: les produits les plus frais donnent les meilleurs plats. Choisis le supermarché qui te convient le mieux. Trouve le marché et le magasin spécialisé les plus proches de chez toi. Ne mange pas n'importe quoi; c'est la règle numéro un. Les aliments doivent mériter qu'on les consomme!

Moi, j'aime savoir d'où viennent mes produits. «Tu es ce que tu manges», disait mon grand-père, qui était fermier. Il faisait pousser tout ce qu'il consommait, et il est resté très longtemps actif et en bonne santé. Comme je suis ce que je mange, j'ai le droit d'en savoir autant que possible sur ce que je mange.

Ce que j'aime manger? De la mousse au chocolat… du poulet rôti au citron avec la garniture classique… du roulé au chocolat… des spaghettis bolognaise avec du pain aillé… tout ce qui ressemble aux tapas… de la soupe à l'oignon avec des morceaux de pain tartinés de chèvre chaud… des galettes de pommes de

terre… du guacamole… du curry de pois chiches, épinards et pommes de terre… des galettes de légumes à l'ail… le roi des sandwichs au bacon croustillant… C'est fou le nombre de choses qu'on peut préparer ! Et facilement, en plus. Tu peux entrer dans la cuisine en te demandant ce que tu vas bien pouvoir faire à manger et, une ou deux heures plus tard, être assis autour d'une table avec tes copains ou ta famille en train de savourer un véritable festin que tu auras préparé toi-même. Tu peux aussi rentrer des cours et ne trouver personne à la maison ; dans ce cas, prépare-toi des pâtes avec une savoureuse sauce tomate. Entre le moment où tu y auras pensé et celui où elles seront dans ton assiette, bien chaudes et délicieuses, il se sera écoulé dix minutes, pas plus ! On ne s'ennuie jamais quand on cuisine. Une fois qu'on a appris, on le fait toute sa vie ! C'est génial de savoir qu'on peut être indépendant !

Pourtant, aujourd'hui, beaucoup d'adultes n'aiment pas cuisiner ; à moins qu'ils ne sachent pas ou n'en aient pas le temps. C'est vraiment dommage, car ils ratent quelque chose ! Ils n'ont peut-être pas eu la possibilité d'apprendre quand ils avaient notre âge. Si c'est le cas de tes parents, mets-toi aux fourneaux et rends-leur un grand service : apprends-leur.

Aucune de ces recettes n'est compliquée. Certaines sont même faciles, voire très faciles. Certaines sont rapides, d'autres prennent un peu de temps (tu peux les préparer à l'avance). Et si toi et ta famille êtes de bons mangeurs, respecte les quantités que j'ai indiquées (comme ça, tu n'auras pas faim entre les repas). Si tu as moins d'appétit, réduis-les. Si tu as suivi un cours de cuisine ou que tu as l'habitude de faire la cuisine, tu ne rencontreras aucune difficulté. Mais si ce sont tes premiers pas, ne t'inquiète pas ! Tu n'as qu'à suivre les recettes. Bonne chance et… à tes fourneaux !

Somptueux petits déjeuners

Se lever le matin peut être une véritable torture (surtout les jours où j'ai cours). Heureusement, il existe des compensations comme… **le petit déjeuner !**

C'est le repas qui m'aide à me lever et me permet de démarrer la journée. Même quand je pense ne pas avoir faim, l'odeur du bacon me fait venir l'eau à la bouche. Parfois, mon petit déjeuner doit être très rapide : mon père me crie de me laver les dents, est-ce que j'ai bien tous mes livres, mes affaires de sport ? Une fois de plus, je suis en retard ! Mais je veux quand même manger quelque chose de savoureux et nourrissant. J'adore les **toasts**, tartinés de pratiquement n'importe quoi. Et les œufs, cuits de toutes les manières. Quand il fait froid, un **pamplemousse chaud bien juteux**. Un **yaourt aux fruits** frais et, pourquoi pas, un milk-shake.

Pendant les vacances et le week-end, le rythme est tout à fait différent (avec un peu de chance, je peux faire une petite grasse matinée). J'ai donc plus de temps pour préparer quelque chose de spécial : **pancakes, galettes irlandaises, petit déjeuner anglais complet**, ou peut-être une **bruschetta à la tomate**, mon préféré depuis toujours. Alors, oublie le paquet de céréales et prépare quelque chose de vraiment bon !

Les œufs

Quand on avait des poules au fond du jardin, on mangeait leurs œufs. Les œufs biologiques, issus de poules élevées en plein air, ont un jaune d'une couleur orange intense et un goût surprenant. Maintenant qu'on n'a plus de poules, on doit acheter nos œufs. Quand tu en achèteras toi aussi, assure-toi qu'ils soient frais. À la coque, pochés, brouillés ou sur le plat, c'est l'idéal pour le petit déjeuner. Comme ils fortifient les muscles, tu as intérêt à en consommer si tu fais du sport. Ils contiennent aussi des protéines excellentes pour l'activité cérébrale. Choisis ton mode de cuisson préféré ! Et pendant le week-end ou les vacances, tu peux te préparer une omelette.

Œuf à la coque

Une super façon de commencer la journée (je connais des étudiants qui sont incapables de faire un œuf à la coque !).

Préparation

1. Porte à ébullition une petite casserole remplie d'eau aux deux tiers. Ajoute un peu de sel. Mets les œufs dans l'eau à l'aide d'une cuillère.
2. Porte à nouveau à ébullition. Règle le minuteur sur 4 minutes (pour des œufs mollets), 5 minutes (pour des œufs plus fermes), ou 6 minutes s'ils sortent du frigo.

Œuf poché parfait

Tu peux acheter une pocheuse, mais ce n'est pas indispensable. Il faut surtout une main sûre et un peu de savoir-faire !

Préparation

1. Remplis d'eau aux deux tiers une petite casserole ou une poêle. Ajoute une pincée de sel et porte à ébullition.
2. Baisse très légèrement le feu. Casse l'œuf dans une tasse.
3. Avec une cuillère en bois, remue l'eau pour créer une sorte de tourbillon. Fais glisser l'œuf au centre du tourbillon (ça permet au blanc de conserver une consistance bien ferme).

Pour 1 personne
Ingrédients
- 1 ou 2 œufs
à température ambiante
- Sel

Accompagnement :
mouillettes tartinées
de beurre.

Pour 1 personne
Ingrédients
- 1 œuf frais
- Toast beurré
- Sel et poivre noir

4. Laisse frémir 3 à 4 minutes jusqu'à ce que le blanc soit figé.

5. Quand l'œuf est cuit, retire-le délicatement de la casserole avec une écumoire (ou une pelle à poisson si tu l'as poché dans une poêle). Égoutte bien.

6. Mets ton œuf sur un toast beurré et ajoute une pincée de poivre.

Œufs brouillés

Réussir parfaitement les œufs brouillés, c'est comme passer au niveau supérieur d'un jeu vidéo : il faut avoir l'œil et des réflexes rapides ! Si tu les fais cuire trop longtemps, ils seront secs et grumeleux. Arrête la cuisson pile une seconde avant la fin de la cuisson, ils seront plus moelleux.

Préparation

1. Casse les œufs dans un bol. Bats-les énergiquement avec une fourchette. Ajoute le sel et le poivre.

2. Fais fondre le beurre à feu doux dans une petite casserole. Verse les œufs et bats vigoureusement avec une cuillère en bois 1 à 2 minutes pendant qu'ils cuisent, en veillant à ce qu'ils n'accrochent pas à la poêle.

3. Éteins le feu quand les œufs ne sont pas encore complètement cuits. Continue à remuer quelques secondes. Mets les œufs sur ton toast. C'est prêt !

VARIANTE
Pour un super brunch, dispose des feuilles de salade sur un petit pain toasté, puis recouvre d'un œuf poché et d'une tranche de bacon.

Pour 1 personne
Ingrédients

- 2 œufs
- 1 noix de beurre
- Toast beurré
- Sel et poivre noir

À déguster avec :
du bacon, des tomates et des champignons grillés à mettre au bord de l'assiette.

VARIANTE
En fin de cuisson (ÉTAPE 3), ajoute un ou plusieurs de ces ingrédients : fromage râpé, persil haché, ciboulette ou estragon, petits dés de tomate avec une pincée de sucre, dés de jambon, de chorizo frit ou de saumon fumé, petits morceaux de bacon croustillant.

Pour 1 personne

Ingrédients

- 50 g de flocons d'avoine
- 300 ml d'eau, ou d'eau mélangée à du lait
- Sel

À déguster avec : du lait, de la crème fraîche ou un yaourt grec.
Du sucre roux, du miel ou du sirop d'érable.
Tu peux aussi ajouter une bonne cuillerée de purée de pommes à la cannelle.
D'abord, pèle puis coupe en morceaux une ou deux pommes à cuire, sans oublier d'enlever le trognon. Mets-les dans une casserole avec un peu d'eau, une pincée de

VARIANTE
À l'ÉTAPE 3, ajoute quelques framboises ou des myrtilles fraîches.

cannelle et de sucre, et fais cuire à feu doux pour obtenir une purée bien onctueuse. Conserve-la au frigo jusqu'à utilisation.

Porridge

Il m'arrive d'en manger avant une journée de pêche ou de paintball. Les flocons d'avoine me donnent de l'énergie. Et le porridge est facile à préparer, ce qui m'arrange car j'ai tout le temps de préparer mes affaires ! D'accord, c'est un peu pâteux, mais si on sait l'accommoder, c'est vraiment bon !

Préparation

1. Verse les flocons d'avoine dans un poêlon avec l'eau (ou l'eau mélangée à du lait).
2. Porte à ébullition en remuant constamment. Baisse le feu et fais mijoter en remuant 4 minutes jusqu'à ce que le mélange soit épais, homogène et crémeux.
3. Ajoute une pincée de sel et mélange avant de servir.

Pamplemousse rose chaud au sucre

Voilà une recette qui te fera sortir de la couette même les matins où il fait froid, encore nuit et que les cours t'attendent. Réchauffer le fruit le rend très juteux, même s'il a été acheté il y a un bon moment. Alors, saupoudre ton pamplemousse d'un peu de sucre et fais-le griller quelques minutes.

Préparation

1. Préchauffe ton gril à la température maximale.
2. Coupe le pamplemousse en deux.
3. Avec un couteau spécial à pamplemousse ou à légume, coupe le fruit de façon à pouvoir retirer facilement la pulpe avec une petite cuillère.
4. Saupoudre chaque demi-pamplemousse d'un peu de sucre.
5. Place-les sur la grille supérieure de ton four.
6. Laisse chauffer 2 minutes maximum – le sucre grésille, le fruit est juste chaud à cœur.

Pour 1 personne
Ingrédients
- 1 pamplemousse rose
- 1 cuillerée de sucre (roux ou blanc, à ton goût)

À déguster avec :
un toast de pain complet pour un petit déjeuner plus consistant.

ET POURQUOI PAS ?

Prépare un pamplemousse et une orange comme à l'ÉTAPE 3. Place les morceaux de fruits dans un saladier et saupoudre-les d'un peu de sucre en poudre et de cannelle (si tu aimes les saveurs épicées). Laisse reposer un peu si tu as le temps. Coupe en deux des grains de raisin, épépine-les et ajoute-les dans le saladier.

Pour 1 personne

Ingrédients

- 3 gros agarics champêtres ou 8 champignons de Paris
- 1 noix de beurre
- Huile d'olive
- 1 ou 2 tranches de pain
- Sel et poivre noir
- Citron

À déguster avec : des toasts de pain à la mélasse (recette de ma mère, p. 154) pour donner à ce plat une petite touche sucrée.

Agarics champêtres sur toasts

Les champignons ne me disaient rien jusqu'à ce que je découvre ce petit plat. Les agarics champêtres ont vraiment du caractère ; ils sont grands et ont beaucoup de goût. Pourquoi on les appelle «agarics champêtres» ? Mon grand-père allait les cueillir dans les champs… à cinq heures du matin ! Je suppose que c'est pour ça !

Préparation

1. Pèle tes champignons : lève un petit morceau de peau et retire-la entièrement à la main jusqu'à ce que les champignons aient l'air complètement nus. Si ce sont des champignons de Paris, lave-les et égoutte-les sur de l'essuie-tout.

2. Coupe et jette les pieds, puis coupe les champignons en lamelles grossières.

3. Fais chauffer une poêle, ajoute du beurre ainsi qu'un filet d'huile d'olive. Cette huile a bon goût, elle est meilleure pour la santé et empêche le beurre de brûler. Mais n'en mets pas trop car les champignons absorbent la graisse ; il vaut mieux en rajouter s'ils te paraissent trop secs.

4. Avec une spatule, retourne les champignons pendant la cuisson pour les cuire sur toutes les faces.

5. Vers la fin de la cuisson, mets le pain à griller.

6. Ajoute le sel et le poivre sur tes champignons. Maintenant, ils devraient rendre un jus délicieux ; saupoudre-les donc de sel de mer. Si tu aimes le poivre noir, ajoutes-en, ainsi qu'un peu de jus de citron.

7. Pose-les sur un toast chaud et arrose-les de jus… Délicieux !

Deux milk-shakes aux fruits

Quand tu es en retard pour les cours, que tu te sens un peu nul… offre-toi un milk-shake! C'est le genre d'aliment «multi-fonction», rapide et idéal les jours où tu n'as pas envie d'un petit déjeuner traditionnel. Ce mélange de yaourt et de fruits te donnera l'énergie nécessaire pour te concentrer comme pour faire du sport. Il m'arrive de le mixer à la main; ça fait moins de vaisselle ! Commence par goûter ces deux parfums, puis fais appel à ta créativité et réalise ces milk-shakes avec tes fruits préférés.

Préparation

1. Mets les ingrédients dans un mixeur. Mixe jusqu'à ce que le mélange soit bien homogène. Tu peux aussi le faire à la main : verse les ingrédients dans une cruche en plastique ou un saladier profond, et bats-les jusqu'à obtenir un mélange onctueux.

2. Goûte. Rajoute des fruits ou du miel si tu le juges nécessaire.

3. Sers avec ou sans paille.

Pour 1 personne
Ingrédients

MILK-SHAKE AUX FRUITS ROUGES
- 150 ml de yaourt nature (allégé ou non)
- 1 poignée de myrtilles
- 1 poignée de framboises
- 1 cuillère à café de miel

MILK-SHAKE BANANE ET FRAISE
- 150 ml de yaourt nature (allégé ou non) ou de lait écrémé
- 1 poignée de fraises
- 1 banane coupée en rondelles
- 1 cuillère à café de miel

ET POURQUOI PAS ?

Mélange tous les fruits que tu veux. Si tu n'aimes pas le miel, remplace-le par du jus de pommes ou d'oranges fraîches. Sais-tu que les myrtilles sont bonnes pour le QI ?

Pour 1 personne
Ingrédients

- 2 fines tranches de très bon bacon
- Beurre
- 2 tranches de pain blanc frais
- 2 rondelles de tomate
- De la sauce brune (ou du ketchup)

VARIANTES

✪ Pour faire un sandwich club, ajoute un œuf sur le plat et une autre tranche de pain.

✪ Remplace le pain par un petit pain rond.

Sandwich au bacon

L'odeur de cette merveille suffirait presque à transformer un végétarien en carnivore convaincu ! C'est d'ailleurs ce qui s'est produit avec ma mère et une de mes sœurs. Ce sandwich est parfait avant d'aller en cours. Et j'en prépare toujours quand des copains restent dormir à la maison. Il suffit de deux tranches de bacon croquant et savoureux sur une ou deux rondelles de tomate. J'utilise toujours du pain blanc, en tranches fines ou épaisses et croustillantes. Le pain complet ne donne pas tout à fait le même résultat. Sans oublier cette bonne vieille sauce brune. Pour certains, ce sandwich, c'est le septième ciel !

Préparation

1. Préchauffe le gril au maximum.
2. Recouvre une plaque de papier aluminium, et pose les tranches de bacon sur la grille située au dessus.
3. Fais griller le bacon jusqu'à ce que les deux faces soient aussi croustillantes que tu le souhaites.
4. Tartine le pain d'une fine couche de beurre.
5. Fais un sandwich avec le bacon, les rondelles de tomate et la sauce brune.

Yaourt à la purée de bananes

Je dois avouer que je ne comprends pas ce qu'on trouve aux bananes. Je sais qu'elles sont bonnes pour la santé et que tout le monde semble les adorer. Mais moi, je n'en suis pas encore là ! Quoiqu'il en soit, je dédie cette recette à tous les amoureux de la banane… comme ma sœur, Poll, qui ne s'en lasse pas ! Quand on va chez ma grand-mère, dans le Suffolk, dans l'est de l'Angleterre, elle sert toujours à Poll de la purée de bananes au petit déjeuner. C'est une tradition dans la famille ! Ma mère travaille dans le théâtre ; quand elle sait qu'elle va travailler dur avec ses acteurs, elle s'en prépare souvent pour bien commencer la journée. Elle dit que les acteurs adorent les bananes. Ils dépensent une telle énergie pendant les répétitions que ça leur permet de tenir le coup ! D'ailleurs, je te jure que j'ai vu des joueurs de tennis en manger pour améliorer leurs performances. Qui sait? Un jour je les aimerai peut-être aussi ! Ce petit déjeuner-là est trèèès facile à préparer. Et tu l'as compris, il contient tout un tas d'éléments nourrissants qui te donneront l'énergie nécessaire sur une scène ou un cours de tennis !

Préparation

1. Écrase grossièrement les bananes (ou coupe-les si tu préfères les morceaux).
2. Verse le yaourt dans un bol.
3. Mets les bananes dans le yaourt et mélange.
4. Ajoute ce qui te fait plaisir (voir les variantes !)
5. Arrose d'un filet de miel pour donner du goût.
6. Consomme immédiatement.

Pour 2 personnes
Ingrédients
- 2 bananes
- 300 ml de yaourt nature, grec de préférence
- Miel liquide (facultatif)

VARIANTES
⭐ Verse ton yaourt à la banane dans un grand verre et ajoute des framboises et des céréales.
⭐ Remplace les bananes par des myrtilles.
⭐ Ajoute des noix et des raisins, mélange avec du miel.
⭐ Pèle une orange et coupe-la en morceaux.

Pour 8 personnes
Ingrédients

- 100 g de farine (sans levure)
- 1 pincée de sel
- 1 œuf
- 300 ml de lait
- Beurre

À déguster avec :

SUCRÉ : du sirop d'érable, du jus de citron ou d'orange fraîchement pressé et du sucre.
SALÉ : du fromage râpé et du jambon.

Pancakes

Ça te dirait de commencer la journée par une petite séance de jonglerie ? Alors, essaie ces pancakes : tu ne seras pas déçu ! Savoureux, très appréciés, rapides à préparer, ils se mangent facilement. Tu peux les accompagner de tous les ingrédients que tu veux. Si tu préfères, prépare la pâte la veille et conserve-la au frigo dans ton récipient à mesurer. Juste avant de commencer la cuisson, fouette bien la pâte avec une fourchette ; tu peux maintenant la verser dans ta poêle. Attention : souvent, le premier pancake colle à la poêle et on est obligé de le jeter. Donc, si ça t'arrive, ne crois surtout pas que tu es nul !

Préparation

1. Verse la farine et le sel dans un saladier. Forme un trou dans la farine. Casse l'œuf et fais-le glisser dans le trou.

2. Avant de battre l'œuf, verse dessus une bonne rasade de lait. Avec ta cuillère en bois, commence à battre l'œuf et le lait en tournant sans trop les mélanger à la farine pour le moment.

3. Incorpore progressivement le reste de la farine – tu peux commencer à battre le tout furieusement ! Tiens bien le saladier de l'autre main. Si cela peut t'aider, incline-le légèrement. Le mouvement énergique du poignet doit permettre d'obtenir une pâte fluide et très épaisse à la fois.

4. Ajoute petit à petit le reste du lait, en battant jusqu'à obtenir une jolie pâte fine et bien homogène. Si elle ne l'est pas complètement, tu peux toujours chasser les grumeaux avec un fouet.

5. Fais chauffer une poêle à pancake ou une petite poêle. Elle doit être suffisamment chaude pour que le beurre grésille quand tu le mettras dedans.

6. Enduis très légèrement la poêle d'une petite noix de beurre. Si le beurre se met à roussir, c'est qu'il commence à brûler et qu'il va avoir un goût amer. Si ça arrive, retire très vite la poêle du feu.

7. Verse 2 ou 3 cuillères à soupe de pâte dans ta poêle. Fais aussitôt un léger mouvement circulaire avec la poêle de façon à ce que la pâte la recouvre entièrement.

8. Fais chauffer jusqu'à ce que le dessous te semble cuit. Pour t'en assurer, soulève le bord du pancake avec ta spatule ; il doit être légèrement doré et ne pas adhérer à la poêle.

9. Le moment est venu de faire sauter ton pancake ! Ou si tu préfères ne pas prendre de risques, retourne-le avec une pelle à poisson ou la spatule.

10. Fais chauffer l'autre face jusqu'à ce qu'elle soit dorée, et sers immédiatement.

VARIANTE
À l'ÉTAPE 6, jette une poignée de myrtilles dans la poêle. Quand elles rendent leur jus, mets-les dans la pâte. Ne fais pas sauter ton pancake, retourne-le avec une spatule.

Pour 12 galettes
Ingrédients

- 225 g de farine avec levure incorporée
- 1 pincée de sel
- 1 cuillère à soupe de sucre en poudre
- 2 œufs
- 300 ml de lait
- 25 à 50 g de beurre fondu

À déguster avec :

SUCRÉ : du miel, de la mélasse, du beurre de cacahuètes, du sirop d'érable ou du beurre et de la confiture.

SALÉ : du fromage frais à tartiner et du saumon fumé, du bacon croustillant et du sirop d'érable.

Galettes irlandaises

Si tu sais faire les pancakes, il y a 99 % de chances pour que tu réussisses ces galettes. Les recettes sont semblables, mais la préparation est très différente. (Nous avons dû envoyer celle-ci par texto à mon frère à la fac pour qu'il puisse la faire à ses copains.) Mange-les chaudes, avec de bons accompagnements !

Préparation :

1. Mets la farine, le sel et le sucre dans un saladier. Creuse un puits au centre. Verses-y les œufs et un peu de lait.
2. Avec une cuillère en bois, bats les œufs et le lait en incorporant petit à petit la farine, comme pour les pancakes (page 18). Ajoute progressivement le reste du lait, en mélangeant afin d'obtenir une pâte homogène et plus épaisse.
3. Avec un pinceau à pâtisserie, badigeonne de beurre le fond d'une grande poêle. Fais-la chauffer à feu moyen.
4. Verse une cuillère à soupe de pâte dans la poêle chaude, puis une autre, en laissant suffisamment d'espace entre les deux.
5. Fais cuire 2 à 3 minutes jusqu'à ce que de petites bulles se forment à la surface de la pâte et que le fond soit juste doré.
6. Retourne avec une spatule et fais cuire l'autre face.
7. Dispose les galettes sur un torchon propre. Couvre-les pour qu'elles restent chaudes.

Pour 4 personnes

Ingrédients

- 450 g de prunes
- 250 ml d'eau
- 3 cuillères à soupe de sucre (ou quantité à ton goût)
- 1 gousse de vanille ou 1 cuillère à café d'extrait naturel de vanille

Prunes au four à la vanille

Il y a des pruniers dans notre jardin. Quand la récolte est bonne, il faut trouver de nombreuses façons d'accommoder les prunes. On ne va pas les jeter! Dans cette recette, on les fait cuire au four avec une gousse de vanille, qui ressemble un peu à une brindille que le chat aurait rapportée à la maison. Avec un couteau pointu, ouvre la gousse pour qu'elle rende tout son arôme et fais-la cuire avec les prunes. Au petit déjeuner, ce plat te donnera un bon coup de fouet. Lave la gousse et fais-la sécher sur de l'essuie-tout : tu pourras la réutiliser.

VARIANTE
Ajoute des fruits frais : abricots, nectarines, pêches ou myrtilles.

À déguster avec :
un yaourt nature ou du porridge chaud ou froid.

Préparation

1. Préchauffe le four à 200 °C (thermostat 7).
2. Coupe les prunes en deux et dénoyaute-les (tu peux aussi les laisser entières). Mets-les dans un plat allant au four avec l'eau et le sucre. Ajoute un peu plus d'eau si nécessaire.
3. Fais une fente dans la gousse de vanille et mets-la avec les prunes, ou verse l'extrait de vanille. Recouvre avec du papier aluminium.
4. Fais cuire 30 minutes au four jusqu'à ce que les prunes soient moelleuses et que leur peau commence à se fendre.

Ingrédients

- Huile d'olive
- Ta saucisse préférée
- 1 tranche de pain de mie coupée en diagonale
- 1 grosse tomate coupée en deux
- 2 fines tranches de bacon de qualité supérieure sans couenne
- 2 tranches de boudin noir (facultatif)
- 1 agaric champêtre ou 3 ou 4 champignons de Paris
- 1 œuf

VARIANTE

Fais-en un sandwich. Fais griller le bacon et les tomates. Fais légèrement revenir les champignons. Poche un œuf. Fais griller du pain italien (ciabata ou focaccia); recouvre-le d'une couche de tomates et de champignons, puis de bacon, et ajoute l'œuf poché dessus.

À déguster avec:
des haricots blancs à la sauce tomate réchauffés à feu doux.

Petit déjeuner anglais

On l'appelle aussi «petit déjeuner complet», ce qui lui va bien car on se sent vraiment rassasié après l'avoir terminé! Je n'en ai jamais envie les jours de classe. Mais le week-end ou pendant les vacances, quand je me suis couché tard, que je me lève tard, et que j'ai tout le temps de savourer ce qu'il y a dans mon assiette, c'est souvent ce petit déjeuner-là que je me prépare. J'aime le mélange de textures et d'arômes: pain et bacon grillés et croustillants, tomate moelleuse et juteuse, le tout accompagné d'une ou deux tranches de boudin noir. Si tu es fana des œufs, ajoutes-en. Et pourquoi pas, quelques délicieux champignons!

Préparation

1. Préchauffe le four à 200 °C (thermostat 7).

2. Mets la saucisse sur une plaque et fais-la cuire 20 minutes.

3. 10 minutes après avoir enfourné la saucisse, fais chauffer un filet d'huile dans une poêle.

4. Mets les triangles de pain dans la poêle. Fais-les cuire sur une face jusqu'à ce qu'ils soient croustillants, puis retourne-les et fais dorer l'autre face. Égoutte-les sur de l'essuie-tout, dispose-les sur une assiette et garde-les au chaud.

5. Verse une goutte d'huile dans la poêle et fais revenir les moitiés de tomate, face coupée contre la poêle. Ajoute les tranches de bacon et fais-les cuire jusqu'à ce que les deux côtés soient croustillants. Mets le bacon dans l'assiette avec le pain, et garde au chaud.

6. Si tu veux ajouter du boudin noir, fais-le cuire jusqu'à ce qu'il soit doré sur les deux faces, puis retire-le et pose-le à son tour sur l'assiette. Vérifie que la saucisse est cuite.

7. Retourne les tomates. Coupe les champignons en lamelles et ajoute-les dans la poêle; fais-les cuire à feu doux en les retournant une ou deux fois. Mets les champignons et les tomates dans l'assiette.

8. Ajoute un peu d'huile dans la poêle. Casse l'œuf et fais-le glisser doucement dedans. Avec une spatule, arrose le jaune d'un peu d'huile chaude pour qu'il cuise plus vite. Si tu le préfères cuit des deux côtés, retourne-le avec une pelle à poisson; fais cuire la seconde face 30 secondes. Enfin ajoute l'œuf sur ton assiette.

Pour 1 personne
Ingrédients

- 3 tomates (ou plus si tu veux)
- 1 gousse d'ail hachée
- Basilic frais ou un peu de thym ou d'origan
- Sel et poivre noir
- Huile d'olive
- 2 tranches de ciabata ou autre pain à la texture aérée

Bruschetta à la tomate

C'est presque mon petit déjeuner préféré. On le prépare avec n'importe quelle variété de tomates bien mûres. En fait, le choix du pain est déterminant; la ciabata, un pain italien, exalte toutes les saveurs de cette bruschetta. Pour lui donner un aspect plus authentique, fais-la griller jusqu'à voir les marques de la grille. Ce petit déjeuner est une manière vraiment saine de commencer la journée: les tomates sont bourrées de bonnes choses qui protègent l'organisme contre les maladies et l'huile d'olive est très bonne pour la santé. Si tu préfères ne pas mettre d'ail sur tes tomates, frotte ton pain avec une gousse. Et si tu veux avoir l'impression d'être en vacances, baisse les stores!

Préparation

1. Préchauffe le gril.

2. Coupe tes tomates, mets-les dans un saladier.

3. Ajoute l'ail haché, beaucoup de basilic, le sel, le poivre et un filet d'huile d'olive.

4. Mets le pain sous le gril du four.

5. Verse un filet d'huile sur le pain grillé.

6. Mets le mélange à base de tomates sur le pain. Déguste tout de suite!

Omelette

Je ne sais pas pourquoi les gens en font tout un plat !
C'est vraiment facile à préparer. Et, une fois que tu maîtrises
la technique de base, tu peux en faire à la chaîne, même
les jours où tu es très occupé, car c'est très rapide à préparer.
Mais moi, je préfère en faire pendant les vacances ou
le week-end, car j'ai tout mon temps pour décider ce que
je vais mettre dedans !

Préparation

1. Casse les œufs dans un
saladier. Ajoute l'eau, le sel
et le poivre. Bats ce mélange
avec une fourchette.
2. Fais chauffer une poêle.
Plus elle est chaude, meilleure
sera l'omelette. Ajoute l'huile
ou le beurre… ça grésille.
3. Ajoute immédiatement
le mélange à base d'œufs
et remue deux ou trois fois.
Fais tout ça rapidement !
4. Tiens la poêle dans une
main et une spatule dans
l'autre ; rabats les bords
de l'omelette vers le centre.
Incline la poêle de façon à ce
que les blancs encore liquides
se répandent jusqu'à l'autre
extrémité. Répète trois ou
quatre fois cette opération.
5. Quand l'omelette est
presque cuite, parsème
la garniture de ton choix.
6. Glisse la spatule sous l'un
des côtés et replie-le sur l'autre
côté. Mets l'omelette dans une
assiette… bon appétit !

Pour 1 personne
Ingrédients

- 2 œufs
- 2 cuillères à café d'eau
- Sel et poivre noir
- 2 cuillerées à café
d'huile d'olive ou 25 g
de beurre

À déguster avec :
SUCRÉ : du miel liquide ou
un peu de confiture tiède.
SALÉ : du fromage, des
champignons, du jambon,
des herbes ou des tomates.

VARIANTE
Fais revenir de
l'oignon, du bacon
et des champignons.
Ajoute l'œuf et fais-le
cuire. Inutile de replier
cette omelette.

Déjeuners rapides ou à emporter

Ne saute pas le déjeuner : il te permet de recharger tes batteries. Prends-le quand tu veux entre 11 et 15 heures. Le meilleur déjeuner, c'est souvent toutes sortes de choses réunies et posées sur la table, des restes de la veille ou du week-end. Un bol de **délicieuse soupe au poulet**, peut-être, pour accompagner un **sandwich** très original. Ou un petit quelque chose pour manger avec du **fromage**. Et d'excellents **fruits** ou une **salade** savoureuse.

Fais du déjeuner le temps fort de ta journée de cours. Fais le plein d'énergie jusqu'au soir. Ce que tu vas emporter pourra te revigorer et recharger tes batteries ! Emporte de la **soupe** dans une bouteille isotherme ; remplis une boîte en plastique de **salade**. Il faut que ces repas soient aussi bons que ceux que tu prends à la maison, sinon, tu finiras par les jeter et te retrouver dans un fast-food !

Pour 1 personne
Ingrédients

- 1 petit blanc de poulet
- Huile d'olive
- Jus de citron
- Herbes fraîches hachées : estragon, persil ou coriandre, etc.
- 2 tranches de pancetta (charcuterie italienne) ou 2 de bon bacon
- 1 morceau de ciabata ou 2 tranches de bon pain blanc
- 1 gousse d'ail coupée en deux
- Mayonnaise
- Chutney à la mangue
- Rondelles de tomate
- Salade (laitue, épinards ou roquette)

Sandwichs

Bannis la morosité avec ces super sandwichs ! Il y a deux règles :
1. Quel que soit le pain que tu choisiras (blanc, complet, pain à la mélasse, pain complet aux céréales, pain de seigle, focaccia, ciabata, tortilla), vérifie qu'il est bien frais.
2. Fais preuve de créativité pour les garnitures. Tu seras surpris de découvrir que certaines saveurs se marient parfaitement !

Gros sandwich poulet grillé, bacon et salade (avec mayo et chutney à la mangue)

Si tu manges ce sandwich à la maison, tu passeras un super moment, et si tu l'emportes en cours pour le déjeuner, ce sera génial aussi ! Prends la meilleure qualité de blanc de poulet ; cela dit, la volaille la plus fade sera délicieuse grillée et accompagnée de tous ces ingrédients extra !

Préparation

1. Glisse le poulet entre deux feuilles de film alimentaire. Aplatis-le un peu avec un rouleau à pâtisserie. Retire le film et enduis le poulet d'huile d'olive avec un pinceau.

2. Fais-le cuire sur une plaque en fonte (de type plancha) très chaude. Fais griller le blanc 2 minutes jusqu'à ce qu'il soit doré. Retourne-le avec une spatule, et laisse-le cuire 2 minutes encore. Enfonce la pointe d'un couteau dans la viande pour t'assurer qu'elle est cuite ; l'intérieur doit être complètement blanc. Si c'est encore rose, prolonge un peu la cuisson.

3. Pour finir, verse un peu de jus de citron pressé sur le blanc. Ajoute du sel et toutes les herbes fraîches que tu aimes. Laisse reposer sur une assiette.

4. Mets les tranches de pancetta ou de

bacon sur la plaque en fonte. Fais-les frire jusqu'à ce qu'elles soient croustillantes, puis retire-les.

5. Coupe la ciabata jusqu'au centre. Fais-la griller, face coupée contre la plaque, ou fais griller les tranches de pain.

6. Frotte la gousse d'ail sur la face grillée du pain. Étale la mayo et le chutney à la mangue. Ajoute le bacon, le poulet, les rondelles de tomate et la salade, et rabats les deux parties du pain.

VARIANTES
⭐ Tartine le pain de pesto, de guacamole ou d'aïoli.
⭐ Remplace le poulet et le bacon par de l'avocat et du fromage.

Pour 1 personne
Ingrédients

- 1 cuillère à café de vinaigre de vin blanc
- 1 pincée de sucre en poudre
- Aneth frais émincé (facultatif)
- 1 concombre (10 cm)
- 2 œufs
- 1 cuillerée de mayo
- Pain tortilla
- Sel et poivre noir

VARIANTE
Délicieux avec : des rondelles de tomate, du cresson (Mamie adore ça !), un peu de curry en poudre, du chutney à la mangue et de la ciboule.

Tortilla aux œufs mayonnaise et au concombre sauce aigre-douce

Les œufs mayo et le concombre vont super bien ensemble. Fais mariner le concombre dans une sauce aigre-douce : le goût sucré de l'œuf ressort… Un classique métamorphosé !

Préparation

1. Prépare une marinade pour le concombre : verse le vinaigre de vin blanc, le sucre et l'aneth dans un saladier peu profond.
2. Pèle le concombre, coupe-le en fines lamelles et mets-les dans la marinade.
3. Plonge les œufs dans une casserole d'eau bouillante. Dès que l'eau bout à nouveau, compte 10 minutes de cuisson. Puis passe les œufs sous l'eau froide ; les coquilles se fendillent.
4. Enlève les coquilles et écrase les œufs durs dans un bol avec la mayonnaise, le sel et le poivre.
5. Remplis le pain tortilla avec le concombre égoutté et les œufs.

Courgette grillée et fromage frais

Emporte ce plat pour ton déjeuner… et tiens bon : essaie de ne pas le manger sur le trajet ! Les courgettes grillées ont un goût étonnant. Alors, savoure leur goût légèrement fumé avec ce sandwich super original !

Préparation

1. Préchauffe la plaque en fonte (de type plancha), côté gril, jusqu'à ce qu'elle soit très chaude.
2. Coupe la courgette en fines lamelles dans le sens de la longueur, et badigeonne-les d'un côté avec un peu d'huile.
3. Mets les morceaux de courgette sur la plaque, côté huilé, et fais-les dorer sur chaque face pendant deux minutes.
4. Presse le citron sur chaque face, et saupoudre de sel.
5. Tartine le pain de fromage frais. Pose dessus les lamelles de courgette, puis ajoute éventuellement le persil ou la coriandre. Si tu veux, recouvre d'un morceau de pain. Hum… délicieux !

Pour 1 personne
Ingrédients

- 1 grosse courgette
- Huile d'olive
- Citron ou citron vert
- Fromage frais à tartiner (allégé ou non, nature ou à l'ail et aux fines herbes)
- 1 morceau de baguette ou de ciabata
- Persil ou feuilles de coriandre (facultatif)
- Sel de mer

VARIANTE
Remplace le fromage frais par de l'hoummos.

ET POURQUOI PAS ?
Prépare une grosse salade avec plein de courgettes. Fais-les cuire comme dans cette recette, et arrose-les d'un filet d'huile d'olive. Ajoute des herbes ainsi qu'un peu de piment émincé si tu aimes ce qui est épicé, ainsi que du jus de citron ou de citron vert et du sel de mer. Mets cette préparation dans une assiette si tu es chez toi, ou dans une boîte hermétique si tu veux te régaler un jour de classe.

Pour 1 personne
Ingrédients
- 1 petit blanc de poulet, coupé en morceaux
- 1 pain pita

SAUCE
- Jus de citron
- 1 gousse d'ail émincée
- 1 bonne pincée de cumin moulu
- 1 bonne pincée de curcuma
- Feuilles de coriandre fraîche hachées (facultatif)
- Sel

GARNITURE
- 1 cuillère à soupe de yaourt nature
- 1 cuillère à soupe d'hoummos (page 78)
- Chutney à la mangue
- Dés de concombre
- Dés de tomate
- Feuilles de salade coupées en lanières

VARIANTE
Oublie le poulet. Dans un peu d'huile, fais griller des cubes de pommes de terre déjà cuites, avec un peu d'oignon, ail, cumin, coriandre, curry, sel et jus de citron. Quand c'est cuit, mange avec l'hoummos et la salade.

Pita au poulet aux épices et à l'hoummos

J'adore les saveurs douces et épicées de cette super recette. Et c'est une façon extra de manger dehors. Le pain pita, en forme de poche, empêche son contenu de se déverser sur ta chemise !

Préparation

1. Sauce : mélange les ingrédients dans un saladier. Ajoute les morceaux de poulet et remue-les bien.

2. Fais chauffer la plaque en fonte (de type plancha). Prends le poulet avec des pinces et fais-le griller. Tourne et retourne-le jusqu'à ce qu'il soit bien cuit. Pour t'en assurer, entaille le poulet avec la pointe d'un couteau : il doit être blanc. Retire-le du feu maintenant, sinon il deviendra dur comme de la semelle !

3. Préchauffe le gril (chaleur moyenne).

4. Garniture : mélange le yaourt et l'hoummos.

5. Réchauffe la pita une minute sous le gril du four jusqu'à ce qu'elle s'assouplisse et gonfle.

6. Ouvre la pita en la coupant dans le sens de la longueur. Tartine l'intérieur de chutney à la mangue et d'hoummos. Garnis-la de salade et de poulet aux épices.

Vegemite-laitue

La Vegemite et la Marmite sont des pâtes à tartiner à base de levure de bière. Tu les trouveras au rayon des produits étrangers.

Préparation

Mets tous les ingrédients ensemble !

Pour 1 personne

Ingrédients

- **2 fines tranches de pain blanc**
- **Beurre**
- **Vegemite ou Marmite**
- **2 feuilles de laitue**

Pour 1 personne
Ingrédients
- Petite boîte de thon
- Jus de citron
- Poivre noir
- Mayonnaise
- 2 tranches de bon pain

VARIANTE
Ajoute du concombre, de la ciboule ou des cornichons finement émincés ou des anchois hachés.

Sandwich au thon citron-mayo

Le poisson peut donner un bon coup de fouet à ta mémoire ! Ou alors, oublie ça, et apprécie ces saveurs super classiques !

Préparation

1. Égoutte le thon et mets-le dans un saladier.
2. Ajoute une bonne dose de citron pressé, de mayo et du poivre. Mélange avec une fourchette. Goûte, rectifie l'assaisonnement.
3. Place entre deux tranches de bon pain.

Essaie d'acheter du thon pêché selon des techniques sans risques pour les dauphins (à la ligne) !

Pour 1 personne
Ingrédients
- Morceau de baguette fraîche
- Beurre
- Moutarde (facultatif)
- 1 tranche de jambon
- 1 tranche de gruyère (ou d'un fromage de ton choix)

Sandwich jambon-gruyère

Basique, mais consistant ! Idéal quand tu as envie de quelque chose de simple. Sans salade ni mayo, il ne risque pas de dégouliner sur tes livres de classe ! Si possible, achète ton jambon et ton fromage dans une épicerie fine.

Préparation

Coupe la baguette dans le sens de la longueur, tartine l'intérieur d'une fine couche de beurre. Ajoute le jambon et le fromage.

Pour 1 personne
Ingrédients
- 2 c. à soupe de mayo
- 1 c. à café de ketchup
- 1 gousse d'ail (facultatif)
- Jus de citron
- Poivre noir
- 1 poignée de crevettes cuites et décortiquées
- 2 tranches de pain

Cocktail de crevettes

Mets une touche de magie dans ta mayo, et tu obtiendras la sauce cocktail, qui accompagne traditionnellement les crevettes.

Préparation

1. Mélange la mayo, le ketchup, l'ail écrasé (si tu en utilises) et une bonne dose de citron pressé. Goûte et ajoute un peu de poivre et de jus de citron, si nécessaire.
2. Ajoute les crevettes, mélange. Fais des tartines ou un sandwich.

Soupe

Question : Qu'est-ce qui se mange généralement chaud mais qui est toujours bon frais ?

Réponse : La soupe.

Tu peux faire une soupe avec presque n'importe quoi : des baskets, des skateboards… Non, sérieusement : passe en revue les ingrédients qui, selon toi, feront une bonne soupe. Fais-les revenir dans un peu d'huile ou de beurre. Déniche un bon bouillon, ajoute-lui des herbes fraîches, et tu obtiendras en moins de deux quelque chose de succulent !

Soupe de carottes
au lait de coco et coriandre

Cette super soupe thaïe est tellement sucrée qu'on pourrait presque croire qu'elle n'est pas bonne pour la santé. Pourtant, elle est bourrée de vitamines et améliore la vue dans le noir. Reconnais que ça peut servir !

Préparation

1. Pèle et coupe les pommes de terre et les carottes. Hache l'oignon.

2. Fais fondre le beurre dans une casserole à fond épais. Incorpore l'oignon avec une pincée de sel. Fais-le cuire environ 5 minutes à feux doux pour le ramollir sans le faire dorer.

3. Ajoute les carottes et les pommes de terre. Remue. Couvre et fais revenir encore 10 minutes.

4. Ajoute la coriandre hachée, le bouillon ou l'eau, le lait de coco, le jus d'orange, un peu de jus de citron vert, le sel et le poivre.

5. Fais bouillir, baisse le feu, couvre et laisse mijoter jusqu'à ce que les carottes aient ramolli. Selon la variété, leur cuisson peut prendre 30 à 40 minutes.

6. Passe au mixeur pour obtenir un mélange onctueux. Remets à chauffer doucement en remuant, et vérifie l'assaisonnement. Sers avec les quartiers de citron vert que chacun pressera sur sa soupe.

Pour 4 personnes

Ingrédients

- 225 g de pommes de terre
- 675 g de carottes
- 1 oignon
- 50 g de beurre
- 1 bouquet de coriandre fraîche haché
- 900 ml de bouillon de légumes ou d'eau, ou 700 ml d'eau et 200 ml de bouillon de poulet
- 100 ml de lait de coco
- Jus de 1 orange
- 2 citrons verts coupés en quartiers
- Sel et poivre noir

Pour 4 personnes

Ingrédients

- 350 g de pommes de terre
- 1 oignon
- 3 ou 4 grands poireaux
- 50 g de beurre
- 1 cuillère à soupe de sauge ou d'estragon hachés (facultatif)
- 900 ml d'eau, de bouillon de légumes ou de bouillon de poulet
- Jus de citron
- 250 ml de lait
- Sel et poivre noir

À déguster avec : du fromage râpé (cheddar ou gruyère) ou des lanières de bacon grillé et croustillant posées sur la soupe.

ET POURQUOI PAS ?

Prépare un bouillon avec le reste d'un poulet rôti (voir ma recette page 153).

Délice de poireaux-pommes de terre

Consomme ta ration quotidienne de légumes en une seule fois ! Les poireaux font une soupe délicieuse et onctueuse, qui peut très bien être emportée dans une bouteille isotherme. Celle-ci, au beurre, est vraiment savoureuse. Un conseil : les poireaux peuvent être recouverts de véritables monceaux de terre… alors, n'hésite pas : lave-les à fond, ou tu auras l'impression qu'ils sont passés directement du champ à ton assiette !

Préparation

1. Pèle les pommes de terre et coupe-les en petits morceaux.

2. Coupe les extrémités des poireaux (feuilles vertes et racines). Retire les couches extérieures dures. Lave les poireaux, puis coupe-les dans le sens de la longueur. Fais la chasse au sable et à la terre. Rince sous l'eau froide. Égoutte-les, et coupe-les en petits tronçons.

3. Pèle et hache l'oignon.

4. Fais fondre le beurre dans une grande casserole à fond épais.

5. Ajoute les légumes et les herbes. Sale et poivre. Remue avec une cuillère en bois pour enrober les légumes de beurre. Couvre la casserole et laisse cuire à feu doux ; les légumes doivent suer 10 minutes sans brunir.

6. Ajoute l'eau ou le bouillon, ainsi qu'une bonne dose de jus de citron. Couvre à nouveau et laisser mijoter 20 à 30 minutes jusqu'à ce que les légumes aient ramolli, sans avoir perdu leur arôme.

7. Passe au mixeur. Ajoute le lait et remets à chauffer. Goûte et rectifie l'assaisonnement.

Succulente soupe au poulet

J'ai reçu cette recette de soupe en héritage. La mère de mon père en faisait. Ma mère en fait à son tour. Et maintenant, j'en prépare ma propre version. Celle que je te propose est celle de ma mère. Elle dit que cette soupe renforce le système immunitaire. Moi, je te dis de l'essayer. Un délice !

Préparation

1. Pèle et coupe tous les légumes en petits morceaux. Hache menu les herbes et l'oignon.

2. Fais fondre un bon morceau de beurre avec un peu d'huile dans une grande casserole à fond épais. Ajoute l'oignon et le céleri avec une pincée de sel. Fais-les cuire doucement sans les faire brunir jusqu'à ce qu'ils ramollissent et soient translucides.

3. Ajoute l'ail, les herbes et le reste des légumes. Remue pour les enrober avec le mélange de beurre et d'huile. Couvre la casserole et laisse suer pendant 10 minutes.

4. Ajoute le bouillon. Porte à ébullition, puis laisse mijoter doucement 15 minutes.

5. Ajoute les pâtes. Fais cuire 15 minutes ou jusqu'à ce que les légumes aient ramolli.

6. Ajoute des herbes, du citron, goûte et rectifie l'assaisonnement.

Pour 4 personnes

Ingrédients

- 1,5 litre de bouillon de poulet maison (p. 153)
- 1 gros oignon
- 1 poireau
- 2 pommes de terre
- 3 carottes
- 1 branche de céleri
- Herbes fraîches (persil, estragon, sauge ou romarin)
- Une noix de beurre
- Huile de tournesol ou végétale
- 2 gousses d'ail écrasées
- Une poignée de pâtes – macaronis, spaghettis coupés, farfalles, pennes ou autres petites pâtes de formes diverses.
- Jus de citron
- Sel et poivre noir

VARIANTE

À l'ÉTAPE 3, ajoute du bacon émincé. À l'ÉTAPE 4, ajoute 450 g de cubes de tomates en boîte, un peu de purée de tomates et une pincée de sucre. Sers avec du parmesan fraîchement râpé et du pain aillé. Tu viens de préparer une soupe italienne : le minestrone !

Pour 4 personnes

Ingrédients

- 3 échalotes
- 2 gousses d'ail
- 50 g de beurre
- Huile de tournesol ou végétale
- 350 g d'agarics champêtres ou de champignons à chapeau plat
- 1 brin de romarin haché
- 2 tranches de pain blanc (enlève la croûte et coupe-les en petits morceaux)
- 1,5 litre de bouillon de poulet ou de légumes, ou d'eau
- Noix de muscade râpée
- Sel et poivre noir
- 150 ml de lait

À déguster avec: des toasts ou un gros morceau de fromage.

La reine des soupes aux champignons à l'ail et au romarin

Sais-tu que les herbes ont des vertus médicinales? Le romarin rend la nourriture plus digeste; l'ail fluidifie le sang et éloigne les vampires. Essaie cette soupe, puis souffle sur un de tes profs!

Préparation

1. Hache l'ail et les échalotes.

2. Dans une grande casserole, fais fondre le beurre avec un peu d'huile. Verse dedans les échalotes et l'ail. Ajoute une pincée de sel. Fais-les cuire doucement 2 à 3 minutes jusqu'à ce qu'ils aient ramolli, sans les laisser brunir.

3. Pèle les champignons et coupe-les grossièrement. Mets-les dans la casserole et mélange bien. Ajoute le romarin. Couvre et fais cuire doucement pendant 10 minutes.

4. Mets le pain dans la poêle. Ajoute le bouillon et un peu de noix de muscade râpée. Porte à ébullition, puis baisse le feu. Couvre et laisse mijoter doucement pendant 10 minutes.
À ce stade, ce n'est pas très appétissant. Aie confiance, ça ne va pas durer! Sale et poivre.

5. Passe la soupe au mixeur jusqu'à ce qu'elle soit onctueuse. Ajoute le lait. Remets à chauffer doucement.

Ma soupe chinoise rapide au poulet

Comme j'adore la cuisine chinoise, j'aime partir d'un bouillon de poulet basique et lui donner une saveur un peu orientale. C'est comme ça que j'ai inventé cette soupe aux nouilles! Mange-la avec une cuillère chinoise (mais utilise les baguettes pour les nouilles aux légumes: elles glissent!).

Préparation

1. Pèle et émince l'ail et le gingembre en lamelles. Émince les ciboules.

2. Verse le bouillon de poulet dans une grande casserole et fais chauffer jusqu'à ce qu'il frémisse. Ajoute l'ail et le gingembre avec la sauce soja. Couvre et laisse cuire au moins 30 minutes à feu doux.

3. Remplis d'eau les deux tiers d'une casserole et porte à ébullition. Ajoute les nouilles. Ramène à ébullition, baisse le feu et laisse cuire 4 minutes. Égoutte, puis rince à l'eau froide.

4. Quand le bouillon est prêt, ajoute le saké, la sauce de poisson, les ciboules et le chou chinois ou les épinards. Fais cuire 2 minutes à feu doux jusqu'à ce que tous les ingrédients soient un peu flétris.

5. Ajoute les nouilles cuites, la coriandre et le jus de citron ou de citron vert, et un peu plus de sauce soja, si tu veux.

Pour 1 ou 2 personnes

Ingrédients

- 600 ml de bouillon de poulet maison (page 153)
- 6 gousses d'ail hachées
- 1 petit morceau de gingembre haché
- 3 ciboules
- 1 c. à soupe de soja
- 1 c. à soupe de saké
- 1 c. à soupe de sauce de poisson thaïe
- 100 g de nouilles aux œufs déshydratées
- Feuilles de chou chinois ou d'épinard
- Feuilles de coriandre fraîche hachées
- Jus de citron

VARIANTE
Ajoute des lamelles de mon porc char sui, et transforme ta cuisine en restaurant asiatique! (p. 97)

Pour 1 personne
Ingrédients

- 2 tranches de pain
- 25 g de beurre
- 100 g de cheddar râpé
- 1/2 cuillère à café de moutarde en poudre
- Sauce Worcestershire ou une pincée de poivre de Cayenne
- Poivre noir
- 1 cuillère à soupe de lait ou de bière

ET POURQUOI PAS ?

Travaille tous les ingrédients en crème avec une cuillère en bois. Tu peux conserver ce mélange au frigo (pas plus d'une semaine), prêt à être tartiné sur du pain et passé au gril.

Encas au fromage...

L'exemple même des plats à préparer quand on est pressé. Mes préférés ! Délicieux avec du pain et des fruits.

Welsh rarebit

Le numéro un des toasts au fromage. On le fait cuire, puis griller dans un plat... mais ça ne prend qu'une minute. Mange-le avec une bonne cuillère de chutney aux pommes maison... ou ce qui te plaît.

Préparation

1. Préchauffe ton gril à la température maximale. Fais griller le pain sur une face, puis mets-le dans un plat peu profond allant au four, face grillée contre le plat. Baisse la température du gril (chaleur moyenne).

2. Mets le beurre dans une casserole, fais-le fondre à feu doux. Ajoute le fromage. Remue avec une cuillère en bois jusqu'à obtenir un mélange onctueux.

3. Retire du feu. Rapidement, ajoute la moutarde, la sauce Worcestershire ou le poivre de Cayenne, et le poivre noir. Mélange. Ajoute la bière ou le lait. Mélange.

4. Étale cette préparation sur le pain.

5. Place sur la grille supérieure de ton four. En fondant, le fromage dore et coule autour du pain grillé.

Croque-monsieur

Ce casse-croûte au jambon et fromage est sur la carte de tous les cafés parisiens. Pour faire un croque-madame, ajoute un œuf dessus… tu feras le plein de protéines !

Préparation

1. Préchauffe le gril à température moyenne. Beurre les tranches de pain. Si tu veux, tartine l'une d'elles de moutarde. Mets du jambon, du fromage, et à nouveau du jambon. Recouvre avec l'autre tranche de pain, face beurrée à l'intérieur. Presse le tout.
2. Glisse ton croque-monsieur sur la grille supérieure de ton four. Retourne-le à mi-cuisson, quand le fromage commence à fondre et à déborder du croque-monsieur.
3. Pour un croque-madame, fais cuire un œuf au plat dans un peu d'huile d'olive. Mets-le sur ton croque-monsieur bien chaud.

Pour 1 personne
Ingrédients

- **2 fines tranches de pain**
- **Beurre**
- **Moutarde de Dijon (facultatif)**
- **1 ou 2 tranches de cheddar ou de gruyère**
- **2 fines tranches de jambon**

À déguster avec : des fruits ; une salade de tomates ; une salade verte bien relevée.

Ingrédients

Pour 1 personne

- 2 ou 3 gros morceaux de fromage
- 1 pomme acide
- 1 tomate mûre ou quelques tomates cerises
- 1 branche de céleri
- Chips
- Chutney aux pommes
- 1 petit morceau de cake aux fruits
- 1 ou 2 tranches de pain à la mélasse (p. 154)
- Beurre

VARIANTE

Pour te déshabituer du fast-food, inscris cette assiette composée à ton menu et crée ton propre mélange avec : du pain, des galettes d'avoine ou du pain scandinave ; de la laitue croquante avec une sauce à la moutarde ; de l'édam ou du cottage cheese ; du céleri, une carotte ; une pomme, une poire, du raisin, du pamplemousse, ou autres fruits de saison.

Assiette composée

L'essentiel, ici, c'est le fromage : il faut absolument qu'il soit bon. Tu n'as pas besoin d'en mettre beaucoup, mais veille à ce qu'il ait du goût. J'aime bien les fromages qui ont de drôles de noms, comme le Pecorino Pepato ou le Clacbitou !

Préparation

Coupe tes ingrédients. Compose ton assiette. Bon appétit !

Ingrédients
- **Pommes de terre**
- **Beurre**
- **Sel et poivre noir**

À déguster avec:
n'importe lequel de
ces accompagnements :
- ✪ thon et aïoli
- ✪ guacamole et fromage
- ✪ haricots blancs à la
sauce tomate, mélangés
à des tranches de chorizo
grillées
- ✪ cottage cheese avec
fruits frais, noix et raisins
- ✪ sauce bolognaise
- ✪ ratatouille
- ✪ coleslaw

Pommes de terre farcies au four

Il faut d'abord faire cuire les pommes de terre au four, puis les farcir. Prépares-en plus qu'il ne t'en faut : tu peux les garder au frigo ou les congeler (elles sont idéales pour une fête !).

Préparation

1. Préchauffe le four à 200 °C (thermostat 7).

2. Gratte ou lave bien les pommes de terre. Pique-les trois ou quatre fois avec une fourchette. Enfourne-les pendant 1 heure.

3. Quand elles ont assez refroidi pour pouvoir les tenir dans la main, coupe chaque pomme de terre en deux. Retire la chair avec une cuillère et mets-la dans un saladier. Ajoute le beurre, le sel et le poivre. Écrase vraiment bien avec une fourchette. Replace le tout dans la peau et dépose le tout sur une plaque du four. Enfourne 10 à 15 minutes.

VARIANTES
À l'ÉTAPE 3, ajoute un
de ces ingrédients :
du fromage râpé ;
une cuillerée de pesto ;
des herbes hachées, de
la moutarde de Dijon et
du jus de citron pressé.

ET POURQUOI PAS ?
Fais cuire une patate
douce au four pendant
30 minutes. Entaille-la
pour l'ouvrir et mange-la
nature, ou avec du sel
et du beurre. Extra !

Pour 2 à 4 personnes

Ingrédients

- **200 g de feta**
- **Huile d'olive**
- **2 ou 3 brins d'origan, persil ou thym frais hachés, plus brins entiers**
- **4 grosses tomates**
- **1/2 ou 1 concombre**
- **1/2 ou 1 oignon rouge ou 3 échalotes**
- **10 olives noires**
- **Jus de citron**

VARIANTE

SALADE AU HALLOUMI
Remplace la feta par du halloumi (fromage de chèvre chypriote). Badigeonne quelques tranches d'huile d'olive. Dépose-les sur une poêle gril très chaude. Retourne-les avec une spatule. Arrose d'un filet d'huile et de citron.
Tu peux ajouter un petit piment coupé en lamelles.

Pour 2 personnes

Ingrédients

- **175 g de pennes**
- **3 cuillères à soupe de vinaigrette (p. 150)**
- **2 ciboules émincées**
- **1/2 ou 1 concombre en dés**

Les salades...

On peut préparer quelque chose d'aussi simple qu'une laitue croquante avec une super sauce maison. Mais ce n'est pas la seule possibilité…

Salade grecque

Je l'adore ! Des cubes de feta salée marinée dans de l'huile avec des herbes, sur un mélange d'olives noires, de tomates mûres et de concombre frais… le tout agrémenté d'un filet d'huile d'olive fruitée et de jus de citron. Tu pourrais aussi bien être sur une île grecque que chez toi, devant un épisode de Friends. Accompagne cette salade de pain pita bien tendre et tiède.

Préparation

1. Coupe la feta en cubes. Mets-les dans un saladier. Ajoute une cuillère à soupe d'huile d'olive et saupoudre la moitié des herbes fraîches hachées. Mélange bien.
2. Coupe grossièrement les tomates bien mûres et le concombre. Émince finement l'oignon. Place ces légumes dans un saladier de service avec les olives et les herbes hachées.
3. Arrose avec une cuillère à soupe d'huile d'olive et une bonne dose de jus de citron.
4. Pour finir, ajoute la feta et les herbes entières.

Salade de pâtes

Les pâtes se marient à merveille avec un tas de saveurs. Alors, fais tes propres essais. Utilise tes ingrédients préférés. Le tout, c'est que le mélange absorbe la sauce en refroidissant : il sera plus parfumé.

Préparation

1. Fais bouillir une grande casserole d'eau salée. Ajoute les pâtes. Fais bouillir à nouveau et remue. Laisse cuire 10 à 15 minutes, ou selon les instructions figurant sur le paquet.

2. Égoutte les pâtes dans une passoire, puis verse-les dans un saladier. Ajoute deux cuillères à soupe de vinaigrette, mélange bien et laisse refroidir.

3. Ajoute les ciboules, le concombre, les tomates et les herbes, le reste de la sauce et, si tu veux, du jus de citron. Mélange.

- **2 tomates coupées en dés**
- **Une poignée de coriandre, persil ou basilic frais**
- **Sel et poivre noir**

VARIANTES

Ajoute l'un ou l'autre des ingrédients suivants :

✪ une boîte de thon égoutté

✪ des cubes de fromage doux

✪ un œuf dur avec des morceaux de pancetta (jambon italien) grillés ou de bacon maigre

VARIANTE
Avant de mettre le
pain au four, trempe-
le dans du pesto.

Pour 4 à 6 personnes
Ingrédients

- **1 ciabata ou une petite miche de pain croustillant**
- **2 c. à soupe d'huile d'olive, plus une petite quantité pour la cuisson**
- **Basilic ou persil frais**
- **4 grosses tomates coupées grossièrement**
- **1/2 gros concombre, pelé et coupé en cubes**
- **1 oignon rouge haché**
- **1 gousse d'ail hachée**
- **1 cuillère à soupe de vinaigre de vin rouge**
- **1 pincée de sucre**
- **Sel de mer et poivre noir**

Panzanella
(salade de pain italienne)

Voici une petite salade estivale qui fait son effet! Le secret, c'est le pain: prends de la ciabata ou un pain bien croustillant avec une belle croûte. Il absorbera toutes les saveurs de cette salade.

Préparation

1. Préchauffe le four à 200 °C (thermostat 7).

2. Verse un petit filet d'huile d'olive sur une plaque de four et saupoudre-la d'un peu de sel de mer. Coupe le pain en morceaux grossiers et dépose-les sur la plaque. Retourne-les pour bien les enrober d'huile. Fais-les dorer 5 à 10 minutes.

3. Coupe les herbes, mets-les dans un saladier avec les tomates, le concombre, l'oignon et l'ail. Ajoute le pain encore chaud.

4. Arrose ce mélange d'un filet d'huile, de vinaigre et relève-le avec le sucre, le sel et le poivre. Remue doucement pour bien mélanger le tout. Laisse reposer 10 minutes.

Salade de tomates, avocats et mozzarella

La meilleure mozzarella est fabriquée avec du lait de bufflonne. Étrange, non? Mais son goût crémeux convient parfaitement à cette salade. Utilise la meilleure qualité que tu trouveras. La mozzarella au lait de vache est à réserver aux pizzas. Dispose tes tranches de fromage de façon à ce qu'elles se chevauchent; pour finir, arrose le tout d'une bonne sauce.

Préparation

1. Prépare la sauce (page 150).

2. Coupe l'avocat en deux. Fais pivoter les deux moitiés avec tes mains et ouvre l'avocat. Retire le noyau, puis la peau.

3. Coupe en fines tranches les tomates, la mozzarella et l'avocat.

4. Sur une assiette, mets tour à tour des tranches de chaque ingrédient en les faisant se chevaucher.

5. Arrose d'un filet de sauce. Parsème de feuilles de basilic.

Pour 2 personnes
Ingrédients

- Ma vinaigrette de tous les jours (page 150)
- 1 gros avocat mûr
- 2 grosses tomates
- 225 g de mozzarella
- Feuilles de basilic frais

À déguster avec: une tranche de mon pain pizza.

Ingrédients

- 375 g de pâte feuilletée
- 3 cuillères à soupe de pesto frais
- 5 ou 6 tomates en grappes
- Basilic ou thym frais
- Sel de mer et poivre noir
- Farine
- Huile d'olive
- Œuf
- Lait

VARIANTES

TARTE AUX CHAMPIGNONS À L'AIL
Émince des champignons de Paris, fais-les revenir dans un peu d'huile et de beurre. Tapisses-en le fond de ta pâte. Parsème d'herbes et d'ail haché. Enfourne.

TARTE AUX OIGNONS CARAMÉLISÉS
Émince des oignons. Fais-les revenir dans une poêle avec un peu d'huile, de beurre et une pincée de sucre jusqu'à ce qu'ils caramélisent. Tapisses-en le fond de la pâte. Parsème d'herbes fraîches. Enfourne.

Tarte à la tomate

Cette tarte est simple et rapide à préparer. Gagne du temps en achetant une pâte toute prête.

Préparation

1. Préchauffe le four à 200 °C (thermostat 7). Graisse la plaque du four avec un peu d'huile d'olive.

2. Saupoudre une planche à pâtisserie d'un peu de farine. Déroule la pâte de façon à former un rectangle d'environ 35 cm x 28 cm. Découpe deux lanières de 1,5 cm de large sur la longueur de la pâte. Badigeonne-les légèrement de lait puis pose-les de part et d'autre du rectangle principal pour former une bordure des deux côtés. Place le tout sur ta plaque. Avec une fourchette, pique délicatement la pâte pour l'empêcher de gonfler.

3. Avec une spatule, badigeonne toute la surface de la pâte d'une fine couche de pesto.

4. Émince les tomates et dispose-les sur le pesto.

5. Bats l'œuf. Utilise-le pour badigeonner la pâte sur les côtés de la tarte. Sale et poivre, puis parsème de feuilles de basilic entières ou de petits morceaux de thym haché.

6. Enfourne le tout. Laisse cuire 20 minutes, puis vérifie la cuisson de la pâte ; laisse au four plus longtemps si nécessaire. Le fond de la pizza doit être cuit et son pourtour, doré et gonflé.

7. Retire la tarte du four. Arrose-la d'un filet d'huile d'olive et saupoudre-la de sel de mer avant de la servir.

Récupérer après les cours

Ça y est, les cours sont terminés pour aujourd'hui. Et si tu es comme moi, tu as envie de t'installer sur le canapé pour te détendre un peu et fêter ça ! **Ingrédients :** un chat (si tu en as un), un soupçon de télé pour te vider la tête (indispensable avant de commencer tes devoirs), et quelque chose de délicieux à manger ou à boire. **Préparation :** fais un tour dans le placard à gâteaux et du côté du frigo. Rassemble ce que tu pourras trouver. Évite toutes les questions du style : «Alors, qu'est-ce que tu as fait à l'école aujourd'hui ?» Régale-toi d'une tranche de marbré au **citron** ou de

gâteau aux pommes, ou d'un **scone maison** avec de la confiture de framboises ou de la crème. Prépare-toi une fournée de **petits gâteaux**. Et si tu en as l'énergie, un peu de cuisine légère te fera le plus grand bien !

Résultat : forces retrouvées, batteries rechargées… Génial !

Pour 12 galettes

Ingrédients

- 175 g de vergeoise (variété de sucre roux)
- 175 g de beurre plus un petit morceau
- 1 bonne c. à soupe de sirop de sucre roux
- 275 g de flocons d'avoine
- 1 c. à café de gingembre moulu (facultatif)

ET POURQUOI PAS ?

Si tu es en retard le matin, emporte une galette que tu mangeras sur le trajet. C'est très pratique : ces galettes ne s'effritent pas!

VARIANTE
À l'ÉTAPE 2, ajoute des abricots secs émincés, ou saupoudre de noix de coco en poudre.

Galettes d'avoine

Deviens le champion des galettes d'avoine! Voici le secret : avant d'enfourner ta préparation, laisse-la reposer 15 minutes. Je ne sais pas pourquoi, mais ça fait toute la différence. Et ces galettes seront encore meilleures avec du thé et un magazine!

Préparation

1. Avec le petit morceau de beurre, badigeonne un moule carré de 20 cm de largeur et d'environ 4 cm de profondeur.

2. Dans une grande casserole, fais fondre à feu doux la vergeoise, le beurre et le sirop de sucre roux. Remue avec une cuillère en bois.

3. Retire la casserole du feu. Verse les flocons d'avoine dedans. Ajoute le gingembre (si tu en mets). Mélange bien.

4. Verse le mélange dans le moule que tu as beurré, et égalise-le à la main ou avec une spatule. Laisse reposer 15 minutes. Préchauffe le four à 150 °C (thermostat 5) pendant que la pâte repose.

5. Enfourne 40 minutes au moins, de manière à obtenir une pâte dorée mais un peu molle au centre. Le mélange va se solidifier en refroidissant.

6. Laisse refroidir dans le moule. Quand la galette est tiède, coupe-la en carrés. Retire les parts du moule quand elles sont froides et bien fermes.

Gâteau aux pommes

Tu es en retard et tu dois courir pour ne pas rater le début d'un cours ou d'un entraînement? Emporte une tranche de ce super gâteau aux pommes. Bon et léger, il te permettra de tenir le coup!

Préparation

1. Préchauffe le four à 180 °C (thermostat 6).

2. Beurre le tour d'un moule rond à fond amovible de 20 cm. Tapisse de papier sulfurisé le fond et les bords du moule.

3. Pèle les pommes, enlève le trognon. Coupe les pommes en tranches de 5 mm.

4. Bats la vergeoise et le beurre dans un grand saladier. Quand ce mélange est onctueux et clair, ajoute petit à petit les œufs sans cesser de battre.

5. Saupoudre la farine, la levure chimique et les épices. Mélange avec une grande cuillère métallique dans un geste large, pour bien mélanger les ingrédients et éviter que l'air ne s'échappe.

6. Incorpore délicatement les pommes, la marmelade d'orange ou de citron, le zeste de citron et l'extrait d'amande. Ajoute un peu de lait pour rendre le mélange onctueux: la cuillère ne doit plus tenir droite dedans. Verse dans un moule.

7. Fais cuire 1 heure au four. Vérifie la cuisson avec une brochette ou une pique à apéritif; elle doit ressortir lisse. Retire le gâteau du four quand il est cuit, et laisse-le refroidir sur une grille. Saupoudre-le de sucre glace.

Ingrédients

- 675 g de pommes à cuire (3 environ)
- 75 g de beurre ramolli
- 1 c. à soupe de marmelade de citron ou d'orange
- 175 g de vergeoise
- 2 gros œufs battus
- 225 g de farine (sans levure)
- 2 c. à café de levure chimique
- 1/2 c. à café d'un mélange d'épices moulues
- 1/2 c. à café de cannelle moulue
- 1 ou 2 c. à café de lait
- Zeste râpé d'un citron
- 3 gouttes d'extrait d'amande (facultatif)
- Sucre glace

ET POURQUOI PAS ?

Mange ce gâteau tiède, accompagné de mascarpone, de glace, de crème fraîche ou de crème anglaise.

Pour 16 sablés

Ingrédients

- **200 g de beurre ramolli**
- **75 g de sucre en poudre, plus une pincée**
- **150 g de farine (sans levure)**
- **150 g de farine avec levure incorporée**
- **1/2 c. à café d'extrait naturel de vanille**
- **1 pincée de sel**

VARIANTE
Fais un seul gros sablé. Arrose-le de crème fouettée et recouvre-le d'une épaisse couche de fraises et de framboises.

Pour 12 muffins

Ingrédients

- **225 g de farine (sans levure)**
- **2 cuillères à café de levure chimique**
- **50 g de sucre**
- **Le zeste de 1 citron**
- **1 gros œuf**
- **225 ml de lait**
- **4 gouttes d'extrait de vanille**
- **50 g de beurre fondu**
- **125 g de myrtilles**
- **25 g d'abricots secs hachés menu**

Sablés à la vanille

Quand j'étais petit, j'en apportais toujours quand mon école organisait une collecte. On les fourrait de confiture ou les parsemait de sucre glace de couleurs vives. Le truc, c'est que j'aime toujours autant ces sablés !

Préparation

1. Préchauffe ton four à 150 °C (thermostat 5). Enduis deux plaques de four d'un petit morceau de beurre. Couvre-les de papier sulfurisé (facultatif).

2. Avec une cuillère en bois, bats le beurre bien ramolli et le sucre jusqu'à obtenir un mélange clair et onctueux.

3. Saupoudre les farines. Ajoute l'extrait de vanille. Bats le tout avec la cuillère en bois. Pour finir, pétris la pâte à la main pour former une boule homogène et lisse.

4. Pose la pâte sur une surface saupoudrée d'une fine couche de farine et de sucre. Étends la pâte en lui donnant une épaisseur d'environ 5 mm. Avec un couteau, découpe des cercles ou d'autres formes amusantes. Place-les sur les plaques du four.

5. Fais cuire au four 30 à 35 minutes. Saupoudre d'un peu de sucre. Laisse tes gâteaux sécher sur la plaque, puis conserve-les dans une boîte hermétique.

Muffins à la myrtille et à l'abricot

Profite des pubs à la télé pour les préparer… ils seront prêts à la fin de ton émission ! Les muffins sont parfaits pour les petits creux. Tu peux les réchauffer au petit déjeuner le lendemain !

Préparation

1. Préchauffe le four à 200 °C (thermostat 7).

2. Verse la farine et la levure dans un saladier. Ajoute le sucre et le zeste de citron râpé. Creuse un puits au centre du mélange.

3. Bats l'œuf dans un autre saladier, puis ajoute le lait, l'extrait de vanille, le beurre fondu, les myrtilles et les abricots.

4. Incorpore cette préparation aux ingrédients secs. Mélange bien.

5. Mets 12 petits moules à muffin dans un plat allant au four. Répartis le mélange dans les moules.

6. Fais cuire au four pendant 20 minutes ou jusqu'à ce que les muffins soient cuits (les muffins maison ne gonflent pas autant que ceux du commerce, mais ils sont succulents !)

Pour 10 scones

Ingrédients

- **225 g de farine avec levure incorporée**
- **1 cuillère à café de levure chimique**
- **50 g de beurre**
- **25 g de sucre en poudre**
- **150 ml environ de lait**
- **Œuf battu**
- **Sucre cristallisé**
- **Une pincée de sel**

À déguster avec : de la confiture et de la crème fouettée. Du thé.

VARIANTES

SUCRÉE
À l'ÉTAPE 4, ajoute des morceaux de dattes, des zestes d'orange et de citron, des raisins secs et de la cannelle.

SALÉE
Ne mets pas de sucre. À l'ÉTAPE 2, ajoute une pointe de moutarde en poudre. À l'ÉTAPE 3, ajoute une cuillère à soupe de parmesan et de la ciboule hachée.

Scones

Je suis pour le retour des scones ! Ils ne sont pas réservés aux mamies anglaises ! Fais-en tout un lot et déguste-les tels quels, avec un peu de beurre. Le secret, avec les scones, c'est la légèreté. Traite la pâte avec respect. Ne la claque pas avec le plat de la main comme de la pâte à pain.

Préparation

1. Préchauffe le four à 220 °C (thermostat 8). Beurre la plaque du four.
2. Saupoudre la farine, le sel et la levure bien au-dessus d'un grand saladier. Ajoute le beurre coupé en petits morceaux.
3. Fais rouler doucement la farine et le beurre entre tes doigts, en hauteur mais toujours bien au-dessus du saladier. Recommence jusqu'à ce qu'il n'y ait plus de morceaux de beurre ; ils n'ont pas besoin d'être invisibles, juste lissés. Incorpore le sucre.
4. Ajoute le lait et mélange légèrement avec une fourchette pour obtenir une pâte onctueuse mais non collante. Pétris avec tes mains.
5. Pose la pâte sur une planche bien farinée. Manipule-la avec des gestes légers ; étale-la délicatement (à petits coups, sans lui imposer de pression) pour qu'elle fasse 2,5 cm d'épaisseur.
6. Découpe des ronds de 5 cm avec un couteau enduit de farine, sans déformer la pâte. Recommence avec la pâte restante.
7. Dispose les ronds sur la plaque du four. Badigeonne-les d'œuf battu. Saupoudre-les de sucre et enfourne-les 12 à 15 minutes ou jusqu'à ce qu'ils lèvent et soient croustillants et dorés. Laisse refroidir sur une grille.

Satsumas au chocolat

Le dessert préféré de mon frère Tom! Même si leur nom peut paraître un peu bizarre, le résultat est convaincant.

Préparation

1. Casse le chocolat dans un saladier résistant à la chaleur. Place-le sur une casserole d'eau à peine frémissante. Le fond du saladier doit être au-dessus de l'eau. Remue une fois ou deux pendant que le chocolat fond.

2. Recouvre de papier sulfurisé la plaque du four. Pèle les satsumas. Enlève autant de peau blanche que possible… sans devenir fou!

3. Plonge chaque satsuma dans le chocolat en la retournant avec une grande cuillère pour bien l'enrober. Place les satsumas sur la plaque, en comblant les espaces qui les séparent avec le reste du chocolat fondu. Laisse reposer dans un endroit frais.

Ingrédients

- 250 g de bon chocolat au lait
- 4 à 6 satsumas (variété de mandarines)

ET POURQUOI PAS ?

Décore les satsumas d'un filet de chocolat blanc puis de chocolat noir fondus.

Mélange du chocolat au lait fondu avec des grains de riz soufflés. Mets ce mélange dans des moules à brioche en attendant qu'il se fige. Délicieux!

Ingrédients

- 175 g de beurre ramolli
- 175 g de farine avec levure incorporée
- 175 g de sucre en poudre
- 1,5 c. de levure chimique
- 3 gros œufs
- 1 c. à café d'extrait naturel de vanille
- Confiture et crème fouettée

VARIANTES

FRUITÉ : Fourre de framboises ou de fraises. CITRONNÉ : À l'ÉTAPE 2, ajoute le zeste d'un citron. À l'ÉTAPE 6, fourre de crème au citron.

Génoise à la crème et confiture de framboises

Chaque matin, en partant travailler dans les champs, mon grand-père emportait une tranche de ce gâteau qui lui donnait de l'énergie pour la journée. Il l'a fait pendant cinquante ans – ce qui fait combien de gâteaux ? À la maison, on n'en mange pas aussi souvent… mais j'adore cette recette !

Préparation

1. Préchauffe le four à 180 °C (thermostat 6). Beurre deux moules ronds de 20 cm et tapisse le fond de papier sulfurisé.

2. Verse la farine et la levure dans un grand saladier. Ajoute les œufs, le beurre, le sucre et l'extrait de vanille. Bats avec un mixeur, ou vigoureusement avec une cuillère en bois. Le mélange doit être clair, crémeux et suffisamment onctueux pour couler avec fluidité d'une cuillère. Si ce n'est pas le cas, ajoute un peu d'eau tiède.

3. Avec une cuillère, répartis ce mélange dans les moules. Utilise une spatule pour égaliser.

4. Fais cuire 30 minutes au four. N'ouvre pas la porte du four avant la fin, la pâte risque de dégonfler. Les gâteaux doivent avoir levé et être dorés ; il doit y avoir un petit espace entre leur pourtour et le moule. Appuie doucement sur le centre – ils doivent être fermes mais moelleux.

5. Laisse reposer 1 à 2 minutes, puis glisse un couteau sur le bord de chaque gâteau pour le détacher. Place une grille sur le gâteau et retourne-le en tenant le moule et la grille avec une manique. Retire le moule et enlève délicatement le papier sulfurisé. Renouvelle l'opération avec l'autre gâteau. Laisse refroidir les gâteaux sur la grille.

6. Enduis l'un des gâteaux de confiture de framboise et de crème fouettée, et pose l'autre dessus. Saupoudre de sucre glace. Un délice !

Marbré au citron

Je suis capable d'engloutir en une seule fois la moitié de ce gâteau! J'adore la façon dont le glaçage s'infiltre à l'intérieur et forme un nappage au citron légèrement sucré. Un gâteau idéal pour décompresser, confortablement installé sur le canapé!

Préparation

1. Préchauffe le four à 160 °C (thermostat 5). Beurre un moule à pain de 1 kg. Tapisse le fond de papier sulfurisé et graisse-le.

2. Mets le beurre et le sucre dans un grand saladier. Bats avec une cuillère en bois pour obtenir un mélange crémeux, clair et onctueux.

3. Bats légèrement les œufs. Incorpore-les dans le mélange et bats le tout. Si le mélange commence à se figer, incorpore un peu de farine et continue à battre. Le goût sera tout aussi délicieux.

4. Saupoudre la farine et ajoute le zeste de citron. Mélange le tout avec une cuillère en inox et en formant de grands 8 avec le bras. Incorpore délicatement le lait et le jus de citron.

5. Transvase ce mélange dans le moule avec une cuillère, étale-le et fais cuire 55 à 60 minutes sans ouvrir la porte du four. Pique une brochette dans le gâteau – s'il est cuit, elle ressortira nette.

6. Fais des petits trous dans le gâteau. Pour le glaçage, mélange le jus de citron au sucre glace et verse sur le gâteau chaud. Laisse reposer 15 minutes, puis sors-le du moule et laisse-le refroidir sur une grille.

Ingrédients

- 175 g de beurre un peu ramolli
- 175 g de sucre en poudre
- 2 œufs
- 175 g de farine avec levure incorporée
- Zeste râpé de 1 citron
- 4 cuillères à soupe de lait
- 1 cuillère à soupe de jus de citron

GLAÇAGE
- Le jus de 1 citron
- 2 ou 3 cuillères à soupe de sucre glace tamisé

Pour 14 biscuits

Ingrédients

- 100 g de farine avec levure incorporée
- 1 cuillère à café de bicarbonate de soude
- 2 cuillères à café de gingembre moulu
- 1 pincée d'un mélange d'épices moulues (facultatif)
- 1 pincée de cannelle moulue (facultatif)
- 50 g de beurre
- 40 g de cassonade
- 2 cuillères à soupe de sirop de sucre roux

VARIANTE

Pour des biscuits plus moelleux, remplace la cassonade par du sucre en poudre.

Les biscuits au gingembre de Polly

Personne ne réussit ces biscuits mieux que ma sœur. Ils sont forts en gingembre et absolument délicieux !

Préparation

1. Préchauffe le four à 190 °C (thermostat 6). Enduis une ou deux grandes plaques de cuisson d'un peu de beurre.

2. Verse la farine, le bicarbonate de soude, le gingembre, les épices et la cannelle (si tu en mets) dans un grand saladier.

3. Incorpore le beurre en l'écrasant du bout des doigts – il doit avoir l'aspect de petites miettes de pain. Incorpore la cassonade.

4. Ajoute le sirop de sucre roux. Avec une fourchette, mélange pour former une pâte à biscuit onctueuse. Ajoute un peu de sirop si elle est trop sèche.

5. Forme 14 petites boules de pâte, et répartis-les sur les plaques en laissant entre elles un grand espace : elles vont s'étendre.

6. Aplatis très délicatement chaque biscuit avec le fond d'une tasse. Fais cuire les biscuits 15 à 20 minutes jusqu'à ce qu'ils soient dorés (sans les laisser brûler).

7. Laisse-les refroidir sur la plaque jusqu'à ce qu'ils durcissent, puis sur une grille. Quand ils sont froids, mets-les dans une boîte en métal pour qu'ils restent bien croquants. Ne les conserve pas avec d'autres biscuits : les saveurs se mélangeraient.

Brioche à la banane

Prends une tranche de cette brioche quand tu travailles sur ordinateur. Elle ne s'émiette pas comme les autres gâteaux. Tartine-la d'un peu de beurre, de fromage doux allégé ou de miel si tu préfères. C'est une façon géniale d'utiliser les bananes trop mûres.

Préparation

1. Préchauffe le four à 180 °C (thermostat 6). Enduis un moule à pain de 1 kg d'un peu de beurre. Tapisse le fond de papier sulfurisé et beurre-le aussi.

2. Écrase bien les bananes. Bats légèrement l'œuf et incorpore-le. Ajoute le miel.

3. Mets le beurre et le sucre dans un autre grand saladier. Bats-les énergiquement pour obtenir une crème claire et légère.

4. Incorpore le mélange à la banane à cette mixture crémeuse. Bats bien.

5. Tamise la farine et le sel. Verses-en un tiers dans la préparation, remue et ajoute une cuillère à soupe de yaourt. Ajoute ensuite un autre tiers de farine et une autre cuillère de yaourt, puis le dernier tiers de farine.

6. Verse dans le moule.

7. Fais cuire 50 à 60 minutes. Pique une brochette dans la brioche – elle doit ressortir sans aucun dépôt. Démoule la brioche et laisse-la refroidir sur une grille.

Ingrédients

- 2 grosses bananes mûres
- 1 œuf
- 1 cuillère à soupe de miel liquide
- 50 g de beurre ramolli
- 75 g de sucre en poudre
- 225 g de farine avec levure incorporée tamisée
- 3 cuillères à soupe de yaourt nature
- 1 pincée de sel

VARIANTE
Ajoute des morceaux de dattes, de noisettes ou des pépites de chocolat ou des écorces de fruit émincées.

Se détendre le soir

Les soirées à la maison sont parfois imprévisibles. Qui sera là pour le dîner ? Qui va sortir ? Est-ce que je serai seul, ou est-ce qu'il y aura mes parents, mes frères et sœurs ? Les végétariens ou les carnivores ? Est-ce qu'il y aura d'autres devoirs à faire ? Sans doute. Ce que je sais, c'est que tout le monde sera épuisé, et… affamé, ça, c'est carrément sûr ! Ce qu'il nous faudra, c'est un repas pas compliqué, à la fois savoureux et très rapide à préparer.

N'importe quelle recette de… **pâtes** (plus rapides à faire et meilleures qu'une pizza surgelée), … **saucisses** (de qualité), … **poulet** (facile à digérer si on rentre tard), … **travers de porc**, ou encore… **quelques-uns de nos plats végétariens préférés**.

Pour nous sentir bien, nous donner envie de nous installer autour de la table, discuter, manger, nous détendre et décompresser.

Pour 6 à 8 personnes
Ingrédients

- 25 g de beurre
- 2 cuillères à soupe d'huile d'olive
- 1 gros oignon émincé
- 3 gousses d'ail écrasées
- 1 grosse carotte hachée menu
- 1 branche de céleri hachée menu
- 900 g de steak haché de très bonne qualité
- 2 boîtes de 400 g de tomates en morceaux
- 4 cuillères à soupe de purée de tomates
- 1 bonne pincée de sucre
- Thym, origan ou basilic frais hachés
- Noix de muscade (facultatif)
- Un peu d'eau ou de bouillon
- Jus de citron
- 750 g de spaghettis
- Sel et poivre noir

À déguster avec : du parmesan fraîchement râpé, du pain aillé et une salade verte ou de tomates.

ET POURQUOI PAS ?
Avec la bolognaise, tu peux faire des lasagnes (p. 115), ou du hachis Parmentier... Verse la sauce dans un plat, recouvre de patates écrasées et fais cuire comme les lasagnes.

Spaghettis bolognaise

Je n'ai peut-être pas encore bien compris comment les manger, mais je sais les cuisiner ! La sauce de ces spaghettis (une sorte de ragoût) est riche, avec de la viande et plein de tomates. En Italie, on la laisse mijoter pendant 5 heures. Celle-ci peut être prête en 30 minutes, mais laisse-la sur le feu aussi longtemps que possible. Prévois 125 g de pâtes par personne.

Préparation

1. Fais fondre le beurre avec l'huile dans une grande casserole. Ajoute l'oignon et l'ail. Fais revenir doucement pendant 5 minutes, jusqu'à ce que ces ingrédients soient mous et translucides. Ajoute la carotte et le céleri. Laisse cuire 5 minutes.
2. Incorpore le steak haché et fais-le dorer tout en remuant. Augmente le feu et ajoute les tomates, la purée de tomates, le sucre, les herbes, la noix de muscade fraîchement râpée, le sel et le poivre. Mélange. Ajoute l'eau ou le bouillon si le tout est trop sec.
3. Baisse le feu, couvre en partie et laisse mijoter au moins 30 min.
4. Goûte et corrige l'assaisonnement, ajoute du citron si tu veux.
5. Porte à ébullition une grande casserole d'eau salée. Maintiens les spaghettis droits dans l'eau et enfonce-les à mesure qu'ils ramollissent. Fais-les bouillir 12 à 15 minutes. Retire un spaghetti avec une fourchette pour voir s'il est cuit. Égoutte dans une passoire.
6. Répartis-les dans des bols et arrose-les de sauce.

Pour 2 personnes
Ingrédients
- 1 c. à soupe d'huile d'olive
- 1 oignon ou 2 grosses échalotes émincés
- 2 gousses d'ail écrasées
- 1 boîte de 400 g de tomates en morceaux
- 1 pincée de sucre
- 2 grosses c. à café de purée de tomates
- Feuilles de basilic coupées et entières
- Jus de citron pressé
- Sel et poivre noir
- 175 à 225 g de spaghettis ou de pennes fraîchement cuits

VARIANTE
Ajoute 1 cuillère à soupe de pesto pour aromatiser ta sauce, ou de mascarpone, pour la rendre crémeuse.

Spaghettis napolitaine (à la sauce tomate)

Beaucoup de tomates dans ce plat ! C'est la toute première sauce que j'ai faite. Mes frères et sœurs en mangent des tonnes à la fac !

Préparation

1. Fais chauffer l'huile dans une casserole. Fais revenir l'oignon ou les échalotes avec une pincée de sel doucement pendant 5 minutes, jusqu'à ce qu'ils soient ramollis. Ajoute l'ail.

2. Incorpore les tomates, le sucre, la purée de tomates, le sel et le poivre, le basilic et le jus de citron.

3. Mélange. Laisse bouillonner 10 minutes au moins. Ajoute un peu d'eau si le mélange s'assèche. Goûte et rectifie l'assaisonnement.

4. Verse la sauce sur les pâtes. Sers avec du parmesan ou du cheddar râpé.

ET POURQUOI PAS ?

Pour faire des spaghettis napolitaine al fredo, hache des tomates fraîches. Ajoute de l'ail et du basilic hachés menu, de l'huile d'olive et un peu de vinaigre balsamique. Verse ce mélange sur les spaghettis. Bizarre, mais somptueux !

Pour 4 personnes

Ingrédients

- 450 g de spaghettis
- 1 cuillère à soupe d'huile d'olive
- 6 fines tranches de bacon ou 110 g de pancetta (jambon italien) coupée grossièrement
- 1 gousse d'ail écrasée
- 4 ou 5 gros œufs battus
- 75 g de parmesan fraîchement râpé
- Sel et poivre noir

Spaghettis carbonara
(aux œufs et au jambon)

Les amateurs d'œufs et de bacon vont adorer ce plat, vraiment très rapide à préparer ! Les pâtes très chaudes cuisent l'œuf. Au fait, les pâtes libèrent des hormones relaxantes : parfait pour décompresser ! À déguster avec une salade de tomates…

Préparation

1. Fais cuire les spaghettis dans une grande casserole d'eau bouillante salée.

2. Fais chauffer l'huile à feu doux dans une poêle. Fais revenir le bacon ou la pancetta avec l'ail jusqu'à ce que les tranches rejettent la graisse et soient croustillantes. Éteins le feu. Laisse dans la poêle.

3. Quand les spaghettis sont cuits, égoutte-les dans une passoire, remets-les dans la casserole. Ajoute le bacon et son huile, mélange. Laisse refroidir 30 secondes.

4. Ajoute les œufs et un peu de sel. Mélange bien pour enrober les pâtes. Mets la moitié du parmesan. Mélange bien et poivre.

5. Sers sur des assiettes chaudes, saupoudre le reste de parmesan. Hum !

VARIANTE
Remplace le bacon par des champignons émincés et frits, et les spaghettis par des linguines. Ajoute 2 cuillères à café de moutarde de Dijon aux œufs.

Travers de porc au miel sauce barbecue

Ces travers de porc sont un véritable délice ! La sauce au miel caramélise et rend la viande plus tendre. Récupère autant de sauce que possible dans la poêle, elle est trop bonne pour la gaspiller ! Mange ces travers de porc avec les doigts : c'est encore meilleur…

Préparation

1. Préchauffe le four à 200 °C (thermostat 7).
2. Mélange tous les ingrédients dans une cruche ou un saladier.
3. Dispose les travers sur une feuille de papier aluminium dans un grand plat à rôtir. Recouvre-les de sauce et retourne-les une ou deux fois pour les enrober de manière uniforme.
4. Fais rôtir les travers pendant 1 heure environ, en les retournant de temps à autre jusqu'à ce qu'ils soient bien dorés et caramélisés.
5. Laisse-les reposer 10 minutes dans un endroit chaud.

Pour 4 personnes
Ingrédients

- 16 à 20 travers de porc (selon la taille des travers et l'appétit des convives)

SAUCE BARBECUE
- 4 c. à soupe de miel liquide
- 2 c. à soupe de sucre de canne
- 1 c. à soupe de sauce Worcestershire
- 3 c. à soupe de sauce soja
- 4 c. à soupe de ketchup ou 2 c. à soupe de purée de tomates
- 4 c. à soupe de vinaigre de vin rouge ou de cidre
- 2 gousses d'ail écrasées
- 1 c. à café de gingembre frais râpé ou moulu
- 2 c. à café de moutarde en poudre ou fraîche
- Le jus de 1 petite orange
- 1 pincée de paprika
- Tabasco (facultatif)
- Sel et poivre noir

VARIANTE
Fais chauffer à l'ÉTAPE 1 des prunes ou abricots dénoyautés dans de l'eau. Réduis-les en purée et ajoute-les à la sauce.

Pour 4 personnes
Ingrédients

SAUCISSES
- 8 saucisses de porc ou de porc aux pommes de très bonne qualité

SAUCE À L'OIGNON
- 1 noix de beurre
- 2 gros oignons émincés
- 2 gousses d'ail écrasées
- Une pincée de sucre
- 1 cuillère à soupe de farine (sans levure)
- 600 ml de bouillon de poulet ou de légumes
- 1 cuillère à soupe de sauge ou de thym frais hachés (facultatif)
- 1 cuillère à café de sauce Worcestershire (facultatif)
- 1 cuillère à café de vinaigre balsamique (facultatif)

PURÉE
- 700 g de vieilles pommes de terre épluchées et coupées en quartiers
- 100 ml de lait
- 2 cuillères à café de moutarde en poudre
- 25 g de beurre
- Le jus de 1/2 citron
- Aneth ou persil haché

À déguster avec : du chou sauté à l'ail ou du chou chinois avec de la ciboule.

Super saucisses-purée sauce à l'oignon

Un super trio : de bonnes saucisses de porc fermier, une purée crémeuse et une sauce aux oignons. Pas d'abdos ce soir !

Préparation
(dans cet ordre)
Sauce

1. Fais fondre le beurre dans une casserole à fond épais. Ajoute les oignons émincés, le sel, le sucre et l'ail écrasé. Fais revenir doucement pendant 10 minutes ; la préparation doit être onctueuse.
2. Ajoute la farine. Remue 2 minutes avec une cuillère en bois.
3. Incorpore petit à petit le bouillon en remuant. Ajoute les herbes, la sauce Worcestershire, le vinaigre balsamique, le sel et le poivre.
4. Couvre et laisse mijoter 30 min. Goûte et rectifie l'assaisonnement.

Purée

1. Fais bouillir les pommes de terre dans l'eau jusqu'à ce qu'elles soient tendres. Vérifie la cuisson avec une lame de couteau. Égoutte.
2. Mets le lait, la moutarde, le beurre et le jus de citron dans la casserole chaude avec les patates. Écrase et mélange bien.
3. Ajoute les herbes. Mélange bien. Mets dans un plat allant au four. Couvre et garde au chaud dans le four (jusqu'à 30 minutes).

Saucisses

1. Fais-les griller, frire ou cuire au four à 200 °C (thermostat 7) 20 minutes. Elles doivent être croustillantes, dorées et irrésistibles.
2. Avec une cuillère, mets la purée dans les assiettes. Recouvre-la avec les saucisses et la sauce.

Saucisses fromagères

Fais une pause. Mets en place une chaîne de production : une personne mélange les ingrédients, une autre enrobe de miettes de pain. Résultat : des saucisses végétariennes croustillantes au fromage, à déguster avec du chutney aux pommes ou du ketchup.

Préparation

1. Passe le pain au robot mixeur pour le réduire en miettes.

2. Mets 175 g de miettes dans un grand saladier avec le poireau et l'échalote émincés, l'ail écrasé, les herbes, le fromage râpé, le zeste et le jus de citron, le sel et le poivre.

3. Bats les œufs avec la moutarde. Mets de côté une cuillère à soupe de ce mélange pour plus tard. Ajoute le reste à la préparation à base de poireaux. Verse un peu de lait. Mélange le tout en une pâte compacte. Roule-la en 8 ou 10 saucisses.

4. Trempe chacune d'elles dans le mélange d'œuf et de moutarde conservé à l'étape précédente. Roule-les dans les miettes de pain restantes pour bien les enrober.

5. Préchauffe le gril à chaleur moyenne. Mets le beurre ou l'huile sur les saucisses. Fais-les cuire sur une plaque recouverte de papier aluminium. Retourne-les toutes les 2 ou 3 minutes pendant au moins 15 minutes ; elles doivent être bien cuites et croustillantes.

Pour 4 personnes

Ingrédients

- 250 g de miettes de pain blanc (une miche de taille moyenne)
- La partie blanche de 1 poireau, hachée menu
- 1 petite échalote hachée
- 2 gousses d'ail écrasées
- 1 c. à soupe d'aneth, de feuilles de coriandre ou de persil frais émincés
- 1 c. à soupe de ciboulette ou de thym frais hachés (facultatif)
- 175 g de fromage : cheddar et/ou du gruyère vieux, râpés
- Zeste râpé de 1/2 citron (facultatif)
- Jus de citron pressé
- 3 œufs
- 2 c. à café de moutarde en poudre
- 3 c. à soupe de lait
- 2 ou 3 c. à soupe de beurre fondu ou d'huile de tournesol
- Sel et poivre noir

À déguster avec :

COLESLAW : voir page 155
SALADE DE TOMATES
SALADE CÉLERI ET POMMES : Coupe en morceaux des pommes et du céleri. Assaisonne bien. Ajoute des dattes, des noix ou des raisins secs.

Pour 4 personnes
Ingrédients

- **3 grosses pommes de terre**
- **1 grosse patate douce**
- **2 c. à soupe d'huile de tournesol ou de noix**
- **1 ou 2 gros oignons moyens émincés**
- **4 gousses d'ail écrasées**
- **2 c. à soupe de sauce curry korma**
- **1 boîte de pois chiches de 400 g**
- **500 ml d'eau ou de bouillon de légumes**
- **Le jus de 1 citron**
- **200 ml de crème de coco**
- **1 c. à soupe de chutney à la mangue**
- **1 c. à soupe de purée de tomates**
- **4 c. à soupe de coriandre fraîche hachée**
- **1 boîte de 200 g de tomates en morceaux**
- **2 c. à soupe de poudre d'amandes (facultatif)**
- **1 grosse poignée de feuilles d'épinard**

À déguster avec: de la RAÏTA. Coupe en fines tranches 10 cm de concombre. Ajoute 1 ciboule hachée, 2 gousses d'ail écrasées et 6 c. à soupe de yaourt nature. Assaisonne.

Curry de pois chiches, épinards et pommes de terre

Manges-en une bonne assiette quand tu as joué au foot ou au hockey par un temps glacial (ou n'importe quel sport d'extérieur auquel les filles jouent en hiver). De simples pommes de terre et des pois chiches farineux se mêlent dans une super sauce. Il y a ici de quoi te permettre de décompresser deux ou trois soirs de suite.

Préparation

1. Épluche les pommes de terre et coupe-les en petits morceaux.

2. Fais chauffer l'huile dans une grande casserole à fonds épais. Ajoute les oignons, l'ail et une pincée de sel. Fais-les revenir.

3. Ajoute la sauce curry. Remue. Laisse cuire 2 min. Ajoute les pommes de terre et les pois chiches. Mélange bien. Fais cuire 1 min.

4. Ajoute l'eau ou le bouillon, le jus de citron, la crème de coco, le chutney, la purée de tomates, les deux tiers de la coriandre, les tomates et la poudre d'amandes (si tu veux en mettre). Augmente le feu pour faire bouillir; remue de temps en temps.

5. Baisse le feu. Couvre et laisse mijoter très doucement au moins 45 min. Ajoute les épinards, remue, fais cuire 2 à 3 min.

6. Goûte et corrige l'assaisonnement en ajoutant, au choix, de la sauce curry, du jus de citron ou de la purée de tomates. Saupoudre le reste de coriandre. Accompagne de riz, de nans, de raïta au concombre, de poppadum (galettes indiennes) et de chutney.

Gratin de chou-fleur

J'adore ce plat roboratif. Il y a des règles à suivre : la sauce doit être épaisse et crémeuse, bien relevée, et préparée avec un cheddar qui ait vraiment du goût. En cuisine, réussir les sauces fait partie des compétences de base. Si tu veux qu'elle soit onctueuse, dose tes ingrédients avec beaucoup de précision.

Préparation

1. Préchauffe le four à 230 °C (thermostat 8).

2. Débarrasse le chou de ses feuilles et sépare-le en morceaux.

3. Porte à ébullition une grande casserole d'eau salée. Mets le chou dedans. Couvre et laisse frémir pendant 8 à 10 min. Égoutte.

4. Prépare la sauce. Fais fondre doucement le beurre dans une casserole. Ajoute la farine en remuant avec une cuillère en bois ; continue à mélanger quelques minutes jusqu'à ce que des bulles commencent à apparaître. La sauce ne doit pas brunir.

5. Retire la casserole du feu. Ajoute très lentement le lait. Avec un fouet, bats constamment pour que le mélange de lait et de farine soit onctueux, sans grumeaux.

6. Remets la casserole sur le feu. Remue jusqu'à ce que la sauce s'épaississe.

7. Laisse frémir 2 à 3 min en remuant pour que ça ne brûle pas.

8. Ajoute la moitié du fromage râpé, la moutarde, le sel, le poivre et le jus de citron. Remets à chauffer et remue ou fouette pendant 1 min.

9. Mets le chou-fleur dans un plat. Arrose-le de sauce et parsème-le avec le reste de fromage râpé. Fais cuire 20 à 30 min. Ou glisse-le sous le gril, jusqu'à ce que des bulles apparaissent à la surface. Bon appétit !

Pour 4 personnes

Ingrédients

- 1 gros chou-fleur
- 50 g de beurre
- 50 g de farine
- 600 ml de lait
- 175 g de cheddar vieux, râpé
- 1 cuillère à café de moutarde en poudre
- Le jus de 1/2 citron
- Sel et poivre noir

À déguster avec :

TOMATES AU FOUR : Coupe les tomates en deux, mets-les dans un plat allant au four et nappe-les de pesto. Fais cuire 10 minutes au four avec le chou-fleur.

VARIANTES

GRATIN DE BROCOLI
Remplace le chou-fleur par du brocoli.

GRATIN DE MACARONIS
Fais bouillir des macaronis 12 min dans de l'eau bouillante. Égoutte-les, mélange-les à la sauce et laisse cuire 30 min au four.

Pour 4 personnes
Ingrédients

- 4 blancs de poulet
- 2 cuillères à soupe de pesto
- 80 g de fromage à l'ail et aux fines herbes
- 8 tranches de jambon de Parme
- Huile d'olive
- 1 citron coupé en quartiers
- 1 poignée de feuilles de basilic frais
- Sel et poivre noir

À déguster avec:

TOMATES CERISES RÔTIES : Mets des tomates cerises dans un plat à rôtir et arrose-les d'un filet d'huile d'olive. Hache de l'ail et les herbes fraîches, et ajoute-les aux tomates avec du sel. Fais rôtir 10 minutes.

Méli-mélo de poulet

Préparation

1. Préchauffe le four à 190 °C (thermostat 6). Ouvre les blancs de poulet en deux dans le sens de la longueur.

2. Garnis de pesto l'intérieur de deux blancs de poulet. Garnis les deux autres de fromage à l'ail et aux fines herbes. Referme-les.

3. Enroule deux tranches de jambon de Parme autour de chaque blanc, puis mets-les dans un plat. Sale et poivre.

4. Arrose d'un filet d'huile d'olive et de jus de citron. Ajoute les quartiers de citron. Saupoudre les blancs d'herbes, puis laisse cuire 30 minutes. Déguste chaud, tiède ou froid. Tu peux découper les blancs en tranches pour les partager. Mange aussi la pulpe du citron. Ne jette pas les jus, sauce-les avec du bon pain.

Poulet à l'ail

Prépare-toi ce poulet quand tu es seul à la maison.
L'ail lui donne un arôme puissant.

Préparation

1. Préchauffe le four à 190 °C (thermostat 6). Enduis légèrement
de matière grasse un plat allant au four.

2. Ramollis le beurre à l'aide d'une cuillère en bois. Incorpores-y
de l'ail haché ou écrasé. Ajoute les herbes, une bonne dose de
jus de citron et une pincée de sel. Mélange bien.

3. Avec un couteau bien aiguisé, fais trois petites entailles en
diagonale dans chaque blanc. Remplis-les de beurre aillé.
Mets-les dans le plat.

4. Enfourne les blancs 20 minutes jusqu'à ce qu'ils soient cuits.
Ils doivent être complètement blancs (la chair ne doit pas être
rosée du tout). Sers avec des quartiers de citron.

Pour 4 personnes
Ingrédients

- 4 blancs de poulet
- 75 à 100 g de beurre
un peu ramolli
- 2 gousses d'ail bien
dodues
- 1 bonne poignée
d'herbes hachées
(mélange toutes celles
que tu as)
- Jus de citron
- Sel et poivre noir
- Citron

Ingrédients

- 110 ml d'huile d'olive
- 3 oignons émincés
- 3 grosses pommes de terre épluchées et émincées
- 8 œufs
- Sel et poivre noir

À déguster avec: de la salade. Très bon froid !

Tortilla (Omelette espagnole aux pommes de terre)

J'ai goûté une part de tortilla pendant nos vacances en Espagne, dans une assiette de tapas. On dirait un gâteau, mais c'est en fait une omelette aux pommes de terre et aux oignons. Ça peut paraître étrange… mais je t'assure que c'est super bon ! Mange-la chaude, coupée en parts comme un gâteau. Ses saveurs détendent et on se sent vraiment relaxé après en avoir mangé !

Préparation

1. Fais chauffer l'huile dans une grande et profonde poêle en fonte (25 cm de diamètre). Ajoute les oignons et fais-les revenir 5 minutes jusqu'à ce qu'ils commencent à ramollir.

2. Ajoute les pommes de terre. Laisse mijoter doucement le tout pendant 20 minutes. Mélange de temps en temps pour que tout soit cuit de la même façon.

3. Casse les œufs dans un grand saladier, et bats-les avec une fourchette. Ajoute du sel et du poivre.

4. Retire le mélange de pommes de terre et d'oignons avec une écumoire et mets-le sur une assiette recouverte d'essuie-tout pour absorber l'huile.

5. Vide toute l'huile de la poêle.

6. Mets les pommes de terre et l'oignon dans le saladier avec les œufs.

7. Mets 2 cuillères à soupe d'huile dans la poêle. Monte un peu le feu.

8. Remets les pommes de terre et les œufs dans la poêle. Baisse le feu.

9. Laisse cuire jusqu'à ce que le mélange soit figé. Secoue la poêle de temps à autre pour que la tortilla n'accroche pas.

10. Quand elle semble presque cuite mais encore un peu moelleuse au centre, glisse un couteau sur le pourtour, entre l'omelette et la poêle. Place l'omelette sous le gril à température moyenne pour dorer le dessus.

VARIANTE

Coupe une tortilla en deux. Tapisse de roquette, rondelles de tomate et jambon. Recouvre avec la tranche du dessus.

Saumon (sans arêtes)

D'accord : je suis difficile en matière de poisson. Je sais que c'est un super aliment et qu'on devrait en manger des tonnes : il contient des oméga 3, qui dynamisent les facultés intellectuelles et permettent, paraît-il, d'améliorer les résultats scolaires. Mais, le soir, je n'ai franchement aucune envie de m'embêter avec les arêtes que je pourrais avaler. Alors, voici mon saumon à moi, sans souci. Après une cuisson express au four, arrose-le d'un filet de sauce teriyaki (sauce soja). Accompagne-le de haricots mange-tout croquants, d'ail et de ciboule.

Préparation

1. Préchauffe le four à 200 °C (thermostat 7).
2. Pose le saumon sur la plaque du four.
3. Mélange la sauce soja, le xérès ou le saké, le vinaigre et le sucre. Mets de côté environ la moitié de la sauce, et badigeonne le poisson avec l'autre moitié.
4. Enfourne le saumon 5 à 10 minutes, ou jusqu'à ce qu'il soit cuit.
5. Fais chauffer dans un wok les huiles de sésame et végétale. Ajoute les haricots, l'ail et les ciboules. Fais revenir 4 minutes.
6. Répartis dans des assiettes, pose dessus les filets de saumon et verse le reste de la sauce.

Pour 4 personnes
Ingrédients

- 4 filets de saumon d'environ 150 g chacun
- 3 cuillères à soupe de sauce soja
- 3 cuillères à soupe de xérès ou de saké
- 2 cuillères à soupe de vinaigre de saké
- 2 cuillères à café de sucre en poudre

SAUTÉ

- 1 cuillère à soupe d'huile végétale
- 1 cuillère à café d'huile de sésame
- 225 g de haricots mange-tout
- 1 gousse d'ail écrasée
- 4 ciboules émincées

Épater les filles…

Voici quelques plats à préparer les jours où tu reçois des filles à la maison. Ils sont un peu plus légers et sophistiqués… ce qui ne veut pas dire qu'ils ne sont pas pour les garçons! En plus, ils sont vraiment très amusants à préparer.

Comme je connais beaucoup de filles végétariennes, la plupart de ces recettes sont sans viande. Mais tu peux trouver des idées de plats à base de viande dans les autres chapitres.

Ici, tu trouveras des tonnes d'idées pour épater les filles : **pain pizza en morceaux** (qui peut aussi servir à faire de succulentes pizzas); sauces telles que **guacamole, hoummos** et **tzatziki** pour accompagner des étoiles en **pain pita**; **gazpacho** et **couscous avec légumes grillés**. Un peu de **poisson super brillant** et de la **salade niçoise**. Ça te donnera peut-être quelques idées pour un menu de Saint-Valentin…

Étoile en pain pita et hoummos, tzatziki, guacamole et sauce aux poivrons et aux tomates

Ce plat est super attrayant. Et il permet de mêler les saveurs…
Tremper le pain pita dans une sauce, dans une autre… hum !
Forme une étoile sur chaque assiette avec deux pitas chaudes.
Dépose un peu de chaque condiment entre les branches…
Et entame la conversation.

Pour 4 personnes
Ingrédients

- 1 boîte de pois chiches de 400 g
- 2 gousses d'ail écrasées
- Le jus de 1 citron
- 1 cuillère à soupe de tahini (pâte de sésame)
- 2 cuillères à soupe d'huile d'olive
- Sel
- Paprika (facultatif)
- Feuilles de coriandre fraîche hachées (facultatif)
- Pignons de pin (facultatif)

Pour 4 personnes
Ingrédients

- 2 gousses d'ail écrasées
- 1/2 concombre pelé et émincé
- 300 ml de yaourt grec

Hoummos

Délicieux chaud ou froid.

Préparation

1. Égoutte les pois chiches, et mets-les dans un robot mixeur. Ajoute l'ail, le jus de citron, le tahini et un peu de sel.
2. Dans une petite casserole, verse l'huile d'olive et 2 cuillères à soupe d'eau. Réchauffe sans faire bouillir.
3. Ajoute ce liquide dans le robot. Transforme le tout en un mélange onctueux. S'il est trop ferme, ajoute de l'eau ou du citron, puis remets le robot en marche. Goûte.
4. Verse ton hoummos dans un saladier.
5. Saupoudre de paprika, de coriandre hachée et/ou de quelques pignons. Mange l'hoummos chaud, ou arrose-le d'un filet d'huile d'olive et mets-le au frais.

Tzatziki

Excellent… Laisse-lui le temps de rafraîchir.

Préparation

Mets l'ail et le concombre dans le yaourt, mélange. Sale, poivre, et mets au frigo.

Pour 4 personnes

Ingrédients

- 2 avocats mûrs
- 1 gousse d'ail
- 2 échalotes ou 1 petit oignon coupés en quartiers
- Le jus de 1 citron ou de 1 citron vert
- Poivre de Cayenne
- 1 cuillère à soupe de feuilles de coriandre fraîche hachées (facultatif)
- Sel et poivre noir

VARIANTE À l'ÉTAPE 3, ajoute du piment.

Pour 4 personnes

Ingrédients

- 4 tomates mûres
- 2 échalotes ou 1 petit oignon
- 1 piment rouge ou vert
- 2 cuillères à soupe de coriandre fraîche hachée
- 1 citron vert
- Sucre en poudre
- Sel et poivre noir

Guacamole

La meilleure des sauces. Essaie de la manger rapidement, car l'avocat se décolore au contact de l'oxygène.

Préparation

1. Coupe les avocats en deux. Sépare les deux parties et retire le noyau avec un couteau. Enlève la chair avec une cuillère à café ; racle bien jusqu'à la peau pour récupérer la chair vert vif qui se trouve au fond.

2. Passe les échalotes (ou l'oignon) et l'ail au mixeur ou émince-les.

3. Ajoute l'avocat, le jus de citron ou de citron vert, une pincée de poivre de Cayenne et le sel. Mixe à nouveau. (Autre possibilité : écrase l'avocat, ajoute l'ail et les échalotes ou l'oignon, et mélange.) Ajoute la coriandre si tu en mets.

4. Verse le guacamole dans un saladier, couvre-le et mets-le un peu au frigo.

Salsa – ça se corse… !

Préparation

1. Hache les tomates et les échalotes (ou l'oignon).

2. Coupe le piment en deux. Coupe la queue. Enlève les graines. Hache la chair menu.

3. Mélange les piments, les tomates, les échalotes et la coriandre avec une bonne dose de citron, un peu de sucre, le sel et le poivre.

Attention : Après avoir manipulé les piments, ne te touche pas les yeux ni aucune partie sensible et lave-toi les mains.

Ingrédients

- 900 g de tomates mûres
- 1 poivron rouge, épépiné et haché
- 4 ciboules ou un petit oignon haché
- 1/2 concombre pelé et coupé en petits dés
- 3 gousses d'ail pelées
- 1 cuillère à café de thym ou de feuilles de basilic frais, à ton goût
- 3 cuillères à soupe d'huile d'olive
- 1 cuillère à soupe de vinaigre de vin rouge ou de vinaigre de Xérès
- 1 pincée de sucre
- 250 à 350 ml d'eau
- Sel et poivre

GARNITURE

- 1/2 poivron rouge épépiné et haché
- 2 ciboules ou 1/2 oignon doux hachés
- Quelques olives noires hachées
- Croûtons
- 1 œuf dur haché
- 1/2 concombre pelé et coupé en petits dés

ET POURQUOI PAS ?

S'il fait chaud, mets des glaçons dans les bols. Sers la garniture à part et laisse chacun se servir. Très bon accompagné de pain pizza (page 82).

Gaspacho

Cette soupe fraîche, rouge et pleine de petits morceaux, est un super plat à partager. Elle ne nécessite aucune cuisson – il suffit de couper les légumes en lamelles et en dés. Tu peux la faire exactement à ton goût. Un plat spectaculaire… avec peu d'efforts.

Préparation

1. Mets les tomates dans un saladier résistant à la chaleur. Verse de l'eau bouillante (fais attention !). Laisse reposer 2 min. Retire les tomates avec une écumoire. Voilà, tu peux les peler facilement !
2. Coupe les tomates en deux. Enlève les pépins. Coupe la chair en morceaux.
3. Passe au mixeur ou à la centrifugeuse les tomates, le poivron, l'oignon, le concombre, l'ail, le sel et le poivre, les herbes, le vinaigre, le sucre et l'huile. Le mélange doit être onctueux. Ajoute l'eau.
4. Verse la soupe dans un saladier et mets-la 2 heures au frigo.
5. Dispose la garniture sur une grande assiette blanche. Saupoudre-la sur la soupe.

Ingrédients

- 350 g de farine panifiable blanche
- 3/4 de c. à café de sel
- 1 sachet de levure de boulanger
- 5 c. à soupe d'huile d'olive
- 200 à 250 ml d'eau tiède
- Quelques brins de romarin frais hachés
- 4 à 5 tomates séchées au soleil, coupées
- 2 tranches de pancetta ou de jambon de Parme, ou chorizo
- 8 à 10 grosses olives noires ou vertes
- 2 c. à café de sel de mer écrasé
- Quelques brins de romarin ou de thym frais

Pain pizza en morceaux

Ce pain a pas mal d'atouts. Il est super appétissant : un mélange de tomates séchées au soleil, d'olives et d'herbes, avec une pâte au goût fruité. Tu peux le manger avec des produits d'épicerie fine ou un plat chaud. À l'apéritif, trempe-le dans de l'huile d'olive. Modifie la garniture pour transformer ce pain en pizza.

Préparation

1. Verse la farine dans un grand saladier. Ajoute le sel et la levure. Avec une cuillère en bois, mélange 3 cuillères d'huile d'olive, l'eau et le romarin haché. Pétris manuellement la pâte. Elle doit être bien liante, chaude et collante.

2. Pose la pâte sur une surface farinée. (Là, tu peux tricher en passant la pâte 10 minutes au mixeur).

3. Pour pétrir à la main : d'abord, mets de la musique. Tiens la pâte d'un côté et étire-la de l'autre, puis ramène-la pour former une boule. Bats-la avec la paume de ta main et écrase-la avec les articulations de tes doigts. Jette-la sur la planche. Malaxe-la ainsi 8 à 10 minutes jusqu'à ce qu'elle ait un aspect lisse et élastique.

4. Mets ta pâte dans un grand saladier et couvre-le avec un sac plastique pour retenir l'air à l'intérieur. Laisse reposer dans un endroit chaud jusqu'à ce que la pâte ait doublé de volume (une heure ou deux).

5. Badigeonne d'huile un moule à pizza de 30 cm. Pose la pâte sur une surface farinée. Pétris-la une minute encore. Elle va s'effondrer. Roule-la ou étends-la délicatement pour former un rond de la taille du moule à pizza. Enfonce plusieurs fois ton pouce dans la pâte pour la rendre inégale.

6. Recouvre à nouveau ton pain avec un sac plastique et laisse reposer 20 à 30 minutes, jusqu'à ce qu'il lève.

7. Préchauffe le four à 220 °C (thermostat 8).

VARIANTES
PIZZAS AU PAIN PIZZA

Comme cette pâte est elle-même très parfumée, n'abuse pas de la garniture. À l'ÉTAPE 5, divise la pâte en quatre et roule-la de façon à former 4 pizzas. Laisse-les lever sur des plaques à pizza. Garnis d'ingrédients cités ci-dessous ou fais tes propres mélanges. Arrose d'un léger filet d'huile d'olive et fais cuire comme à l'ÉTAPE 9.

CLASSIQUE Sauce tomate (page 65), parmesan, jambon de Parme et basilic.

MARGHARITA Sauce tomate, mozzarella, parmesan et basilic.

PEPPERONI Sauce tomate, pepperoni (saucisson sec italien) et parmesan.

CHAMPIGNON Sauce tomate, mozzarella et parmesan, ail, champignons.

VÉGÉTARIENNE Sauce tomate, légumes méditerranéens grillés.

ANCHOIS Sauce tomate, olives noires, anchois, basilic et parmesan.

ROQUETTE ET COPEAUX DE PARMESAN Nappe de sauce tomate maison et de parmesan, mets au four. Quand la pizza est cuite, parsème-la de roquette, de copeaux de parmesan et arrose-la d'un filet d'huile d'olive.

8. Insère dans la pâte des petits morceaux de tomates séchées, de pancetta, de jambon ou de chorizo, des olives et des brins d'herbes fraîches. Saupoudre de sel de mer. Badigeonne ou arrose avec le reste d'huile d'olive.

9. Enfourne 20 minutes, jusqu'à ce que le pain soit bien doré.

Pour 4 personnes

Ingrédients

- 4 filets de saumon d'environ 150 g chacun
- 2 gousses d'ail émincées (facultatif)
- 4 échalotes émincées (facultatif)
- Brins d'herbes fraîches : aneth, persil et/ou coriandre
- 4 fines tranches de citron
- Morceau de beurre (facultatif)
- Jus de citron vert ou de citron
- Sel et poivre noir

GARNITURE
Grosses frites de patates douces (page 95)
Pesto
Mayonnaise
Ketchup

Saumon glamour en papillote Patates douces frites et pesto, mayo et ketchup

Un plat super brillant : effet assuré ! Enveloppe ton poisson de beaucoup d'herbes et de petits morceaux de légumes pour qu'il s'imprègne de saveurs délicieuses et soit bien parfumé. Il faut que ce soit beau et léger. Sers avec une grande assiette de bonnes frites de patates douces.

Préparation

1. Préchauffe le four à 200 °C (thermostat 7).

2. Découpe des rectangles de papier aluminium assez grands pour contenir chaque filet de saumon et une garniture généreuse.

3. Pose chaque filet sur un rectangle et entoure-le de petits morceaux d'ail et d'échalotes émincées, d'herbes et d'une fine tranche de citron. Arrose-le d'un peu de citron vert ou de citron. Sale, poivre et ajoute une noix de beurre (pas indispensable). Relève les bords des papillotes et froisse l'aluminium pour les fermer.

4. Enfourne les papillotes sur une plaque pendant 15 minutes ou jusqu'à ce qu'elles soient cuites à cœur.

5. Pose sur chaque assiette une papillote sans l'ouvrir. Ajoute un tas de frites ainsi qu'une bonne cuillérée des trois sauces.

Couscous aux légumes grillés et œufs mollets

Mes sœurs raffolent de ce plat. Alors, si tu reçois des copines, prévois large, sinon, ta cuisine va se transformer en champ de bataille ! Griller les légumes leur fait rendre du sucre.

Préparation

1. Préchauffe le four à 230 °C (thermostat 8). Enduis d'huile une plaque et dispose les aubergines dessus. Badigeonne-les légèrement d'huile d'olive.
2. Mets les courgettes, les poivrons, les oignons et les patates douces dans un plat à rôtir. Arrose-les d'un filet d'huile d'olive. Ajoute du sel et du romarin. Retourne les légumes pour bien les enrober. Ajoute le citron. Enfourne la plaque et le plat à rôtir pendant 45 min.
3. Retourne les aubergines. Remue les autres légumes, ajoute l'ail et les tomates cerises. Fais cuire 10 à 20 min ou jusqu'à ce que ce soit prêt.
4. Mets la semoule dans un saladier résistant à la chaleur. Sale et poivre. Verse l'eau bouillante, recouvre d'un film. Laisse reposer 4 min.
5. Ajoute un peu d'huile d'olive et de citron, mélange avec une fourchette. Couvre et laisse reposer 2 min.
6. Fais bouillir les œufs 5 min jusqu'à ce qu'ils soient à peine cuits.
7. Avec une fourchette, mets le persil haché dans la semoule. Dispose sur des assiettes. Recouvre de légumes. Verse un filet de vinaigrette mélangée au pesto. Ajoute les œufs pelés et coupés en deux.

Pour 6 personnes
Ingrédients

- Huile d'olive
- 2 aubergines coupées en lamelles de 5 mm
- 3 courgettes coupées en gros morceaux
- 2 poivrons rouges épépinés et coupés en larges lanières
- 4 oignons rouges coupés en quartiers
- 3 patates douces épluchées et coupées
- Brins de romarin frais
- 1/4 de citron
- 8 gousses d'ail pelées
- 12 tomates cerises
- 225 g de semoule de couscous
- 250 ml d'eau bouillante
- Jus de citron • 6 œufs
- 4 c. à soupe de pesto
- 2 c. à soupe de vinaigrette (page 150)
- 4 c. à soupe de persil

VARIANTE

LÉGUMES GRILLÉS D'HIVER : À l'ÉTAPE 2, pèle et coupe 2 panais, 4 carottes et 2 grosses patates douces. Pèle 3 oignons rouges et coupe-les en quartiers. Lave et sèche 8 petites pommes de terre. Ajoute de l'huile, des herbes et de l'ail. À l'ÉTAPE 6, fais pocher les œufs.

Ingrédients

- 350 à 450 g de steak de thon frais
- 3 épaisses tranches de pain coupées en cubes
- 3 œufs
- Sauce de salade (p. 150)
- 450 g de petites pommes de terre nouvelles
- 1 poignée de haricots verts fins
- 3 fines tranches de bacon ou de pancetta (jambon italien)
- 1 salade romaine grossièrement coupée
- 4 tomates coupées en morceaux grossiers
- 100 g d'olives noires
- 1/2 concombre coupé en dés
- 4 filets d'anchois en boîte
- 1 cuillère à soupe de câpres (facultatif)
- 2 échalotes émincées
- Mayonnaise
- Sel et poivre noir

MARINADE
- Jus de 1/2 citron
- 2-3 gousses d'ail écrasées
- 2 cuillères à soupe d'huile d'olive

À déguster avec : du pain ou du pain aillé.

Salade niçoise

Cette recette mêle thon, salade, bacon, croûtons et des tas d'autres saveurs assaisonnées d'une sauce bien relevée. Mets tous les ingrédients sur un grand plat blanc et pose-le au milieu de la table. Grandiose !

Préparation

1. Mets le thon frais dans un plat avec les ingrédients de la marinade.

2. Fais durcir les œufs 10 min dans une casserole d'eau bouillante. Passe-les sous l'eau courante pour les refroidir.

3. Prépare la sauce de salade. Mélange avec le fouet.

4. Fais bouillir les pommes de terre 10 à 15 min jusqu'à ce qu'elles soient cuites. Égoutte-les et verse dessus 1 cuillère à soupe de sauce de salade tant qu'elles sont chaudes.

5. Fais bouillir 4 min les haricots.

6. Coupe le pain en cubes. Répands un peu d'huile sur une plaque de four. Fais cuire les croûtons au four pendant 10 min ou jusqu'à ce qu'ils soient légèrement dorés.

7. Fais frire le bacon ou la pancetta jusqu'à ce qu'il ou elle soit croustillant(e). Égoutte sur un essuie-tout. Réduis en miettes.

8. Découpe la romaine. Coupe les tomates et le concombre en gros morceaux. Enlève la coquille des œufs et coupe-les en deux.

9. Pose le thon sur un essuie-tout, puis sur une plaque en fonte (type

plancha) très chaude. Fais-le cuire 1 à 2 min. Il doit être doré en surface, un peu rose au centre… pas dur comme de la semelle !

10. Mets tous les ingrédients sur un plat ou dans un saladier. Verse la sauce et mélange. Ajoute le thon, les olives, les échalotes, les anchois et les œufs (coupés en deux et nappés de mayo).

VARIANTES

SALADE DE THON EN BOÎTE
Ne fais pas de marinade et utilise 2 boîtes de thon de 200 g.

SALADE DE POULET ET PANCETTA
Remplace le thon par des blancs de poulet. Ne mets pas d'anchois, ni de câpres ni de pommes de terre. Ajoute des copeaux de parmesan.

SALADE DE SAUMON
Remplace le thon par du saumon.

SALADE D'AVOCATS ET FROMAGE
Remplace les anchois, le bacon, le thon et les câpres par des dattes, des noisettes, des raisins, de l'avocat et du fromage.

Ingrédients

Pour 4 personnes

- 2 à 4 magrets de canard avec peau (selon l'appétit)
- 2 c. à soupe de miel
- 2 c. à soupe de sauce soja
- 1 c. à soupe de jus d'orange
- 1 c. à café de gingembre frais pelé et râpé, ou gingembre en poudre (facultatif)
- 2 paquets de galettes de riz

SAUCE
- 4 c. à soupe de sauce hoisin (sauce chinoise)
- 1/4 de c. à café d'huile de sésame
- 1 c. à café de miel

GARNITURE
- 1 concombre pelé et épépiné
- 8 ciboules

VARIANTE
SALADE DE CANARD À L'ORIENTALE
Mets les magrets sur une salade de laitue, de concombre et d'oignons. Ajoute des germes de soja, et une sauce à l'orientale (p. 151).

Magret de canard à la chinoise avec concombre, ciboule et galettes

Tu peux t'amuser à suspendre un canard à un porte-manteau toute une nuit, puis à l'attaquer avec un sèche-cheveux pour lui donner cette peau croustillante qu'il a à Pékin. (On a essayé. Ça n'a pas trop mal marché.) Ou alors tu peux suivre cette recette. Et regarde si ces demoiselles adroites en laissent tomber…

Préparation

1. Préchauffe le four à 220 °C (thermostat 8).
2. Mélange le miel, le soja, le jus d'orange et le gingembre pour préparer la marinade dont tu vas arroser le canard. Mets-en 2 cuillères à café de côté.
3. Avec un couteau, fais des stries dans la peau des magrets, à 1 cm d'intervalle.
4. Mets les magrets sur une grille du four au-dessus d'un plat à rôtir.

Badigeonne de marinade, cuis 10 min, re-badigeonne, re-cuis 10 min.
5. Mélange tous les ingrédients de la sauce. Verse-la dans un bol (on y trempera les rouleaux). Coupe le concombre et les ciboules en fines allumettes, et mets-les sur une assiette.
6. Vérifie la cuisson du canard. Il doit être un peu élastique sous la dent et l'intérieur un peu rosé. Laisse-le reposer 5 min au chaud.
7. Couvre les galettes d'alu. Pose-les 5 min sur une assiette placée dans un cuit-vapeur ou au-dessus d'une casserole d'eau bouillante.
8. Émince la viande. Arrose-la de la marinade mise de côté.
9. Verse un peu de sauce sur une galette. Ajoute le canard, le concombre et l'oignon, puis enroule la galette autour. Bon appétit !

Gnocchis aux herbes
Sauce à la sauge et au citron

Léger, délicieux, aromatisé. Meilleur avec des patates farineuses cuites au four. Les filles (et les gars) adorent les gnocchis !

Préparation

1. Préchauffe le four à 220 °C (thermostat 8). Fais cuire des patates de taille égale pendant 1 heure ou jusqu'à ce qu'elles soient cuites.
2. Recueille la chair, mets-la dans un saladier. Écrase vraiment bien avec une fourchette. Ajoute les jaunes d'œufs, la farine, le sel et les herbes. Pétris de façon à former une boule de pâte élastique. Partage-la en quatre et couvre-la d'un torchon tiède.
3. Mets un morceau de pâte sur une planche (farine un peu seulement s'il devient collant). Roule-le de manière à former une saucisse de l'épaisseur de ton pouce. Coupe-la en morceaux de 2 cm. Avec une fourchette, forme de fines rayures sur les morceaux, puis pose-les sur un torchon. Recommence avec le reste de la pâte.
4. Porte à ébullition une grande casserole d'eau légèrement salée. Baisse le feu, l'eau frémit. Mets les gnocchis à cuire par lots à feu doux 10 min. Ils gonflent un peu. Retire-les avec une écumoire.
5. Fais fondre le beurre dans une poêle, ajoute le citron, les herbes, le sel et le poivre. Recouvre les gnocchis de cette sauce, ou de sauce tomate (p. 65) ou bolognaise (p. 64). Saupoudre de parmesan.

Pour 4 personnes
Ingrédients
- 800 g de pommes de terre à chair farineuse (type bintje)
- 2 jaunes d'œufs
- 100 g de farine (sans levure)
- 1 pincée de sel
- 1 c. à soupe de persil ou de sauge hachés
- 1 c. à soupe de ciboulette hachée

SAUCE
- 100 g de beurre
- Le jus de 1 citron
- 3 c. à soupe de sauge ou d'herbes de ton choix hachées
- Sel de mer
- Parmesan fraîchement râpé

VARIANTES
GNOCCHIS NATURE
Ne mets pas d'herbes.
GNOCCHIS AU FOUR
Mélange des gnocchis déjà cuits à de la sauce tomate maison (page 65), puis mets-les dans un plat beurré allant au four. Recouvre de fromage râpé et fais dorer 10 minutes à four très chaud ou sous le gril chaud.

Entre copains

Avoir ses copains et ses parents à la même table peut être très gênant. Ton père se met à raconter de mauvaises blagues, ta mère commence à se fâcher… Alors, évite de mélanger la famille et les amis… ou prépare un super repas qui captivera l'attention de tous !

Tu peux servir des **moules marinière** ou une **soupe à l'oignon** accompagnée de **croûtons au fromage**. Ou essaie le **curry vert thaï** de mon copain Joe. Les adeptes de la cuisine chinoise raffolent du **porc char sui**. Et si tu n'as qu'un ou deux copains à la maison, prépare un délicieux **steak avec une salade** et des **galettes de pommes de terre**.

Si tu n'arrives pas à les arracher à leur partie, sers des **pâtes et des boulettes de viande à la sauce tomate**, ou un grand bol de **chili con carne avec du fromage, de la crème et des tortillas**. Tartine des **toasts de pâté de foie de volaille**. Et essaie de ne pas tout faire tomber sur le canapé !

Vous mangez dans le jardin ? Sers des **hamburgers maison** au bœuf ou au thon remplis d'ingrédients super savoureux. Ou des **brochettes d'agneau**. Laisse libre cours à ton imagination pour concocter salades, condiments et accompagnements.

VARIANTE
À l'ÉTAPE 5, verse la soupe dans des bols allant au four. Recouvre la surface de chaque bol de pain grillé et de fromage râpé. Fais dorer à four chaud ou sous le gril jusqu'à ce ça grésille. ATTENTION quand tu retires les bols du four – chaud devant !

Pour 4 à 6 personnes
Ingrédients

- 4 à 5 gros oignons
- 3 c. à soupe de beurre
- 2 gousses d'ail écrasées
- 2 c. à café de sucre
- 300 ml de vin blanc ou de cidre
- 1,8 litre de bouillon de poulet ou de légumes
- 6 tranches de baguette
- 100 g de cheddar ou de gruyère râpés

COUPER LES OIGNONS

Pèle l'oignon. Coupe-le de haut en bas. Pose une moitié, côté plat, sur ta planche. Fais des entailles dans l'oignon, de la base jusqu'à la pointe, sans couper la base. Tourne l'oignon et émince-le en partant de la pointe. Coupe la base. Fais de même avec l'autre moitié.

Soupe à l'oignon
et croûtons au fromage

Un tas de copains frigorifiés restent manger à la maison ? Sers-leur un grand bol de cette bonne soupe à l'oignon. Tous ceux qui ont eu le privilège de la goûter l'ont adorée. Prépare-la avant d'aller jouer au foot, et fais-la réchauffer à ton retour. N'oublie pas les croûtons !

Préparation

1. Coupe de gros oignons en fines rondelles.

2. Fais fondre le beurre dans une grande poêle à fond épais. Mets les oignons dedans. Ajoute l'ail et remue pour bien les enrober de beurre. Couvre la poêle et laisse cuire 15 minutes à feu doux.

3. Enlève le couvercle. Ajoute le sucre. Fais cuire les oignons à feu doux 40 minutes, jusqu'à ce qu'ils soient ramollis et caramélisés.

4. Monte le feu. Ajoute le vin ou le cidre. Porte à ébullition. Ajoute le bouillon. Sale et poivre. Porte à ébullition, laisse mijoter 20 minutes.

5. Fais griller les morceaux de baguette. Recouvre-les de fromage râpé et mets-les sous le gril jusqu'à ce que le fromage commence à grésiller.

6. Sers la soupe dans des bols. Ajoute les croûtons… on dirait de petites îles de fromage !

Pâté de foie de volaille

Tartiné sur un morceau de pain, ce pâté peut faire un super casse-croûte quand tu attends qu'un copain finisse sa partie. Bien crémeux, il a un goût délicieux. Choisis un pain qui croque sous la dent. Ça pourrait bien déconcentrer les joueurs !

Préparation

1. Coupe grossièrement les foies de volaille en éliminant tout morceau blanc.

2. Fais fondre un bon morceau de beurre dans une poêle. Fais revenir les échalotes et l'ail à feu doux 5 min sans les faire brunir.

3. Ajoute le bacon et fais cuire 4 min en remuant.

4. Augmente un peu le feu et ajoute les foies. Laisse cuire jusqu'à ce qu'ils soient dorés à l'extérieur et légèrement rosés à l'intérieur.

5. Maintenant, augmente le feu. Verse le jus de pomme ou l'alcool et fais grésiller 1 ou 2 min pour terminer la cuisson des foies.

6. Ajoute les herbes, poivre et sale (pas trop : le bacon est salé).

7. Verse le tout dans le mixeur. Ajoute le fromage, du jus de citron et mixe de façon à obtenir un mélange onctueux. Goûte et corrige l'assaisonnement. Ajoute du fromage si tu veux un pâté plus onctueux.

8. Transvase dans un saladier. Laisse refroidir 5 min. Arrose de beurre fondu pour recouvrir le pâté hermétiquement. Décore avec les grains de poivre et les feuilles de laurier. Mets au frigo jusqu'au lendemain : c'est meilleur. Ce pâté se conserve une semaine.

Pour 8 personnes
Ingrédients

- 400 g de foies de volaille
- 1 bon morceau de beurre, plus 2 à 3 cuillères à soupe de beurre fondu
- 3 grosses échalotes émincées
- 3 gousses d'ail écrasées
- 3 fines tranches de bacon
- Thym ou herbes au choix
- 175 g de fromage frais léger à tartiner
- 1 citron
- Un peu de xérès, cognac ou jus de pomme
- Sel et poivre noir

GARNITURE

- Grains de poivre
- 1 ou 2 feuilles de laurier

À déguster avec :

Une tartine grillée. Ou un TOAST MELBA (toast très fin) : fais griller des tranches de pain de mie blanc. Enlève la croûte. Coupe les tranches en deux dans le sens de l'épaisseur. Enfourne sur une plaque à 150 °C (th. 3) jusqu'à ce que les coins soient un peu racornis et les tranches dorées et croustillantes (10 min environ). Un délice !

Pour 4 personnes
Ingrédients

- 2 kg de moules
- 2 échalotes ou
1 petit oignon
- 3 gousses d'ail
hachées menu
- 50 g de beurre
- Un bouquet de persil
- 2 cuillères à soupe de
crème fraîche épaisse
(facultatif)
- 300 ml de vin blanc
ou de cidre

À déguster avec : de la
sauce piment ou de l'aïoli.

Moules marinière (Cuites à la vapeur avec du vin blanc et de l'ail)

Pour moi, «moules» est synonyme de «moules marinière». J'adore les préparer… et les déguster. C'est un plat idéal à partager entre copains. On n'a besoin que de ses doigts et d'une cuillère pour les manger. Le jus est un vrai régal : sauce-le avec du pain. Et prévois des tonnes de grosses frites pour écouler ta mayo !

Préparation

1. Mets les moules dans un saladier d'eau froide dans l'évier. Attention : si certaines coquilles sont craquelées, qu'elles flottent ou ne se ferment pas quand tu les passes sous le robinet, jette-les. Ne les cuisine surtout pas et ne les mange pas.

2. Gratte ou brosse les coquilles pour les nettoyer. S'il y a des barbes (des filaments noirs qui sortent des coquilles), retire-les. Rince.

3. Fais fondre le beurre dans une grande casserole. Fais revenir l'ail et l'oignon 2 min sans les faire brunir.

4. Augmente le feu. Ajoute le vin. Laisse bouillir 2 min.

5. Ajoute les moules. Couvre et laisse 2 min à feu très fort. Remue pour faire passer les moules du dessus au fond et vice-versa. Fais cuire 1 à 2 min de plus jusqu'à ce que les coquilles soient ouvertes.

6. Répartis les moules dans des bols avec une écumoire

(ce sera plus facile!). Jette toutes celles qui ne se sont pas ouvertes.

7. Ajoute la crème (si tu en mets) dans le jus de cuisson. Réchauffe doucement sans bouillir. Ajoute le persil. Mets la sauce dans les bols (sans les grains de sable s'il y en a!) Pour manger les moules, aspire-les à même la coquille, ou attrape-les avec une coquille vide.

Grosses frites

Quand on prépare des moules, on n'a pas envie d'avoir à faire frire des patates en même temps. Alors, mets-les au four avec un peu d'huile d'olive. Super avec de la sauce piment. Parfait pour une fête!

Préparation

1. Préchauffe le four à 240 °C (thermostat 10).

2. N'épluche pas les pommes de terre, mais gratte la peau. Sèche-les sur de l'essuie-tout. Coupe-les en forme d'énormes frites.

3. Sèche-les à nouveau, puis mets-les dans un sac congélation avec l'huile et le sel. Secoue.

4. Dispose les frites sur une plaque du four. Laisse cuire 30 à 40 minutes, jusqu'à ce qu'elles soient croustillantes et dorées.

Pour 4 personnes
Ingrédients
- 900 g de pommes de terre
- 2 c. à soupe d'huile d'olive
- Sel de mer

VARIANTE
Remplace les pommes de terre par des patates douces (pèle-les), et l'huile d'olive par de l'huile de tournesol. Cuis-les au four, elles caramélisent.

Pour 4 à 6 personnes
Ingrédients

- 6 blancs de poulet coupés en dés
- 2 c. à soupe d'huile de pépin de raisin ou de tournesol
- 4 échalotes émincées
- 1 tige de citronnelle écrasée et émincée
- 2 gousses d'ail écrasées
- Le zeste râpé et le jus de 1 citron vert
- 2 c. à café de coriandre moulue
- 2 c. à café de cumin moulu
- 1 morceau de 4 cm de racine de gingembre frais râpée
- 1 petit piment oiseau vert épépiné et émincé
- 1 petit piment oiseau rouge épépiné et émincé
- 2 feuilles de lime de cafre (citron vert thaï)
- 2 c. à café de sauce de poisson thaïe
- 1 c. à café de beurre de cacahuètes
- 400 ml de lait de coco
- Une poignée de feuilles de coriandre fraîche hachées
- Noix de cajou en morceaux (facultatif)

À déguster avec : un bol de riz thaï gluant.

Le curry vert thaï de mon copain Joe

Joe a son style de cuisine. Il aime prendre une recette de base et ajouter des ingrédients pour remplacer ceux qu'il n'a pas. Voici son curry vert thaï.

Préparation

1. Fais chauffer un grand wok. Verse l'huile, et saisis le poulet jusqu'à ce qu'il change de couleur et soit presque cuit. Mets-le sur une assiette.

2. Ajoute de l'huile si nécessaire. Fais frire les échalotes, la citronnelle et l'ail jusqu'à ce qu'ils soient ramollis.

3. Ajoute le beurre de cacahuètes, le zeste et le jus de citron vert, la coriandre moulue, le cumin, le gingembre râpé, les piments, les feuilles de lime et la sauce de poisson. Fais cuire 2 minutes.

4. Ajoute le lait de coco et la majeure partie de la coriandre (gardes-en un peu pour la décoration). Mélange et ajoute le poulet. Laisse mijoter 30 minutes en remuant de temps à autre pour empêcher le curry d'attacher.

5. Verse sur un plat. Décore de noix de cajou et de coriandre.

Porc char sui

Avant, mes copains et moi allions manger au self-service chinois, en ville. Il vient de fermer… alors peut-être qu'on mangeait trop ! Maintenant, je cuisine ce plat-là. Le filet de porc est une viande qui s'imprègne super bien des saveurs sucrées des recettes chinoises.

Préparation

1. Mélange les ingrédients de la marinade dans le plat, puis ajoute le porc. Mélange. Laisse mariner aussi longtemps que possible.
2. Préchauffe ton four à 200 °C (thermostat 7).
3. Recouvre de papier aluminium le fond d'un plat à rôtir. Pose dessus une grille. Mets tes filets de porc sur la grille. Fais rôtir 20 minutes en les badigeonnant deux ou trois fois de marinade.
4. Laisse reposer le porc 10 minutes dans un endroit chaud. Coupe-le en fines tranches.

Pour 4 personnes
Ingrédients

- 2 morceaux de filet de porc de 450 g chacun

MARINADE
- 2 c. à soupe de miel
- 2 c. à soupe de sauce soja
- 2 c. à soupe de sauce hoisin (sauce chinoise)
- 1 c. à café d'huile de sésame
- 1 pincée de cinq épices chinoises en poudre

À déguster avec : mes légumes sautés (p. 98) et mon riz aux œufs (p. 146).

VARIANTE
TOFU CHAR SUI
Remplace le porc par du tofu (2 paquets de 225 g). Pose-le sur une planche à découper, recouvre d'un poids pendant 30 min pour le faire dégorger. Coupe-le en cubes, mets-les dans la marinade. Égoutte et fais frire doucement dans un peu d'huile de tournesol et de sésame. Arrose avec la marinade. Recouvre d'ail et de coriandre fraîche. Accompagne de légumes sautés.

Pour 2 personnes

Ingrédients

- 1 morceau de 5 cm de gingembre frais pelé
- 2 gousses d'ail
- 6 ciboules
- 75 g de haricots verts
- 75 g de pois gourmands
- 75 g de mini-épis de maïs
- 75 g de brocoli
- 2 c. à soupe d'huile de tournesol
- 1 c. à soupe d'huile de sésame
- 1 pincée de sucre
- 1 c. à café de sauce soja
- 1 citron vert (facultatif)
- 2 c. à soupe de feuilles de coriandre fraîche hachées (facultatif)
- Noix de cajou (facultatif)
- Sel et poivre noir

ET POURQUOI PAS ?

Pour un dessert rapide, coupe des oranges en morceaux en forme de bateaux, comme dans les restaurants chinois.

Mes légumes sautés

Ce plat est un simple mélange de légumes. Saisis la technique, puis mets-la en pratique avec tes ingrédients préférés.
Fais sauter les légumes dans un wok ou une grande poêle.

Préparation

1. Émince l'ail et gratte le gingembre. Enlève les bouts des ciboules, coupe-les en deux et émince-les dans le sens de la longueur. Coupe les haricots, les pois et les épis de maïs en petits morceaux en diagonale. Casse les brocolis en petits morceaux.

2. Fais chauffer les huiles dans un wok ou une grande poêle jusqu'à ce qu'elles soient très chaudes. Ajoute l'oignon, l'ail, le gingembre. Remue 1 minute environ.

3. Ajoute tous les légumes tour à tour – remue entre chaque.

4. Fais sauter 5 minutes encore. Sale, poivre et sucre. Ajoute la sauce soja, le jus du citron vert, la coriandre hachée et les noix de cajou, si tu veux en mettre.

Chili con carne

Un classique. Laisse-lui bien le temps de cuire, au four ou sur la cuisinière. Prépare un chili spécial gourmets et soigne la garniture.

Préparation

1. Si tu choisis le four, préchauffe-le à 180 °C (thermostat 6). Fais chauffer la moitié de l'huile dans une grande cocotte. Ajoute la viande. Remue rapidement jusqu'à ce qu'elle soit cuite.

2. Baisse le feu. Ajoute le reste de l'huile, l'oignon, l'ail, les piments et la coriandre. Fais cuire quelques minutes jusqu'à ce qu'ils soient ramollis.

3. Ajoute les haricots, les tomates, la purée de tomates, la vergeoise, le bouillon ou l'eau, et le bâton de cannelle. Remue et porte à ébullition.

4. Baisse le feu. Couvre et laisse mijoter 1 heure à feu très doux en remuant de temps à autre. Ajoute un peu d'eau si nécessaire.

5. Ajoute le poivron rouge et remue. Couvre et laisse mijoter doucement pendant 40 minutes.

6. Goûte. Sale et arrose de jus de citron vert.

Pour 4 personnes
Ingrédients

- 460 à 675 g de paleron de bœuf émincé ou de steak haché
- 2 cuillères à soupe d'huile de tournesol
- 1 gros oignon coupé en morceaux
- 3 gousses d'ail écrasées
- 1 ou 2 piments verts frais, épépinés et hachés
- 1 bouquet de feuilles de coriandre fraîche hachées
- 1 boîte de 400 g de haricots rouges
- 1 boîte de 400 g de tomates hachées
- 2 cuillères à soupe de purée de tomates
- 2 cuillères à café de vergeoise
- 175 ml de bouillon de poulet ou d'eau
- 1 bâton de cannelle
- 1 poivron rouge épépiné et haché
- Jus de citron vert
- Sel et poivre

À déguster avec : des tortillas ou des tacos. Couvre de dés d'avocat, de coriandre fraîche hachée, d'oignon rouge haché, de fromage râpé et de crème aigre.

Pour 4 personnes
Ingrédients

- 4 biftecks dans le filet, biftecks d'aloyau ou rumstecks de 150 g
- 1 gousse d'ail
- Huile d'olive
- 100 ml de vin rouge, d'eau ou de bouillon
- Sel et poivre noir

SALADE

- Au choix : cresson, roquette, jeunes pousses d'épinards, laitue
- 2 échalotes émincées
- 6 tomates
- Vinaigrette au miel et à la moutarde (page 150)

VARIANTE

À l'ÉTAPE 1, badigeonne des STEAKS DE THON d'huile d'olive et de sésame. À l'ÉTAPE 3, fais revenir dans une poêle 2 min sur chaque face. Ajoute de la sauce soja et du jus de citron. Fais frémir. Retourne tes steaks pour les enrober. Saupoudre de graines de sésame. Dispose-les sur la salade et les galettes de pommes de terre. Accompagne-les de gingembre rose japonais et de wasabi.

Steak, salade et galettes de pommes de terre

Idéal quand tu ne reçois que deux ou trois copains. Demande à l'un d'eux de couper la salade, à l'autre de préparer les galettes de pommes de terre et la sauce. Toi, tu n'auras qu'à t'asseoir et à surveiller les steaks (ça demande une grande concentration !)

Préparation

1. Retire les steaks du frigo 1 heure avant de les faire cuire. Frotte-les avec de l'ail. Verse quelques gouttes d'huile dessus. Poivre-les mais ne les sale pas – ils seraient moins tendres.

2. Prépare la salade.

3. Fais bien chauffer ta plaque en fonte (de type plancha) ou ta poêle. Colles-y les steaks. Le temps de cuisson peut varier en fonction de la chaleur de la poêle, de la viande et de son épaisseur, mais voilà quelques indications :

SAIGNANT : 1 à 2 minutes par face ; rouge à l'intérieur.

À POINT : 2 à 3 minutes par face ; légèrement rosé.

BIEN CUIT : 3 à 4 minutes par face ; entièrement brun.

4. Quand les steaks sont cuits selon vos goûts, saupoudre-les de sel et laisse-les reposer 2 à 3 minutes dans un endroit chaud. Si tu veux, coupe-les en diagonale en lanières et mets-les sur la salade.

5. Remets le jus de viande à chauffer et fais-le frémir avec un peu de vin/eau/bouillon. Quand il a un peu réduit, verse-le sur la viande.

Galettes de pommes de terre

Un super accompagnement. On dirait de grosses crêpes.
Coupe-les en tranches comme un gâteau. Fais-les cuire
dans de l'huile d'olive ou de la graisse de canard.

Préparation

1. Fais bouillir les pommes de terre avec leur peau pendant
10 min. Égoutte-les et laisse-les refroidir 5 min au moins.
2. Pèle les pommes de terre. Râpe-les grossièrement dans
un saladier. Ajoute sel, poivre, ciboules et aneth (si tu veux).
Mélange légèrement avec une fourchette.
3. Fais chauffer dans une poêle un peu d'huile et de beurre ou
de graisse de canard. Verse dedans les pommes de terre. Étale-
les pour qu'elles recouvrent le fond de la poêle comme une crêpe.
4. Cuis 10 min à feu doux. Ça doit être croustillant et doré dessous.
5. Pour retourner la galette, maintiens une grande assiette au-
dessus de la poêle. Retourne la poêle et l'assiette ensemble pour
que la galette tombe sur l'assiette. Fais-la glisser dans la poêle,
face dorée dessus. Fais-la cuire jusqu'à ce qu'elle soit dorée
dessous. Utilise une poêle légère facile à soulever et à retourner.

Pour 4 personnes

Ingrédients

- 900 g de vieilles
pommes de terre
- 4 ciboules finement
émincées (facultatif)
- 3 cuillères à soupe
d'aneth frais haché
(facultatif)
- Sel et poivre noir
- Huile d'olive plus
une noix de beurre ou
de graisse de canard

ET POURQUOI PAS ?

Fais de ces galettes
la pièce maîtresse d'un plat :
recouvre-les de bacon
et de champignons,
de saumon fumé, ou d'œufs
pochés ou sur le plat.

Pour 6 personnes
Ingrédients

- 450 g de steak haché de très bonne qualité
- 2 mesures de sauce tomate (page 65)
- 2 ou 3 c. à soupe de lait
- 2 épaisses tranches de bon pain blanc sans la croûte
- Huile d'olive ou tournesol
- 1 oignon émincé
- 2 gousses d'ail écrasées
- Un morceau de 2,5 à 5 cm de gingembre frais
- Farine (sans levure)
- Le zeste râpé de 1 citron
- 2 c. à soupe d'herbes fraîches hachées menu : thym, coriandre ou persil
- 1 œuf
- Sel et poivre noir
- Pâtes de ton choix

À déguster avec : des tagliatelles, du couscous ou du riz. Plein de parmesan. Une salade bien relevée.

VARIANTE
PAIN DE VIANDE
Fais cuire le mélange 1 h à 1 h 15 au four à 190 °C (th. 6) dans un moule à pain graissé. C'est bon chaud avec de la sauce tomate (p. 65), ou froid avec des patates au four.

Pâtes, boulettes de viande et sauce tomate

Tu reviens du foot ? Reste dans le sujet avec ces boulettes ! Prépare-les avant de partir et mélange-les avec la sauce à ton retour. L'idée du bœuf et du gingembre vient des dim sum chinois.

Préparation

1. Prépare la sauce tomate (page 65).

2. Mets le pain dans un grand saladier. Ajoute le lait. Laisse reposer 5 minutes, puis presse le pain pour le sécher (enlever le lait).

3. Fais chauffer 1 cuillère à soupe d'huile d'olive dans une grande poêle à frire. Fais revenir doucement l'oignon et l'ail jusqu'à ce qu'ils ramollissent. Mets-les avec le pain dans le saladier.

4. Ajoute le bœuf, le gingembre râpé, le zeste de citron, les herbes, l'œuf, le sel et le poivre. Mélange.

5. Avec la viande fais des boulettes de la taille d'une noix. Roule-les un peu dans la farine.

6. Fais cuire à feu doux les boulettes dans l'huile 10 à 15 minutes, jusqu'à ce qu'elles soient dorées sur toutes leurs faces. Remue de temps en temps.

7. Fais chauffer la sauce tomate dans une grande casserole. Ajoute les boulettes de viande. Baisse le feu, couvre et laisse mijoter à feu doux pendant 15 minutes.

Grillades

Savoure-les dehors au soleil avec tes copains (comme ça tes parents ne les harcèleront pas pour qu'ils enlèvent leurs baskets). Profites-en pour faire quelques passes et t'entraîner un peu au foot pendant que le barbecue chauffe. Si tu n'es pas adepte du barbecue, que tu n'en as pas ou qu'il commence à pleuvoir, tu peux préparer tout ça à l'intérieur et le manger où tu veux.

Pour 4 personnes
Ingrédients

- 450 g de steak haché
- Huile d'olive
- 1 petit oignon
- 2 gousses d'ail
- 3 brins de thym frais, (les feuilles seulement)
- 1 cuillère à soupe de persil frais haché menu
- 1 petit œuf
- Sel et poivre noir
- 4 pains à hamburger

Super hamburger

Ça vaut le détour ! Achète de la très bonne viande (ce sera encore meilleur si tu la passes toi-même au mixeur).

Préparation

1. Mets le steak haché dans un saladier. Sale et poivre bien. Ajoute les herbes finement hachées ainsi que l'œuf, légèrement battu.

2. Hache menu l'oignon et l'ail. Fais-les revenir dans un peu d'huile d'olive jusqu'à ce qu'ils ramollissent.

3. Ajoute cette mixture à la viande. Mélange bien le tout. Forme des boules ; aplatis-les pour leur donner la taille que tu souhaites.

4. Si tu cuisines à l'intérieur, fais chauffer une poêle à frire ou une plaque en fonte (de type plancha). Fais cuire 3 minutes sur une face, retourne et laisse cuire 3 minutes l'autre face. Recommence jusqu'à ce que ça soit cuit. Si tu préfères, tu peux utiliser le gril du four.

5. Si tu fais un barbecue, mets la viande sur une grille placée à 15 cm au-dessus des braises et laisse-la 5 minutes jusqu'à ce qu'elle soit cuite. Si tu veux, tu peux aussi faire griller le pain à hamburger.

6. Colle la viande dans le pain.

VARIANTES

CHEESEBURGERS
Recouvre les hamburgers cuits de fromage et fais-le fondre sur le gril.

HAMBURGER D'AGNEAU À LA PITA
Achète de l'agneau haché de bonne qualité. Ajoute 1 c. à café de cumin moulu et remplace le thym et le persil par de la coriandre hachée. Sers dans de la pita chaude avec du ketchup et du yaourt mixé avec de l'ail, de la menthe et du sel.

ET POURQUOI PAS ?

Remplis tes hamburgers de salade, de mayo ou de tes ingrédients préférés.

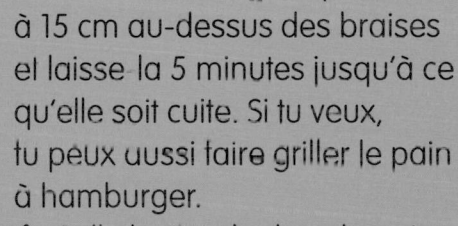

Pour 4 personnes

Ingrédients

- 450 g de thon frais
- 1 bonne c. à soupe de moutarde de Dijon
- 1/2 ou 1 c. à soupe de gingembre rose japonais
- 3 brins de thym frais, les feuilles seulement (ou aneth ou coriandre)
- 3/4 de c. à café de graines de fenouil moulues (avec un moulin à épices ou à café)
- 1 pincée de poivre de Cayenne
- 1 pincée de sel
- 4 pains à hamburger

À déguster avec: de la moutarde de Dijon, du gingembre macéré dans du vinaigre, de la mayonnaise à l'ail et de la salade.

Pour 4 personnes

Ingrédients

- 8 gros champignons
- Huile d'olive
- Herbes fraîches (persil, coriandre, thym)
- 3 gousses d'ail écrasées
- Sel et poivre noir
- Jus de citron
- Garnitures de ton choix
- 4 pains à hamburger

Hamburger au thon

Le hamburger au thon est le hamburger miracle. Il ne suinte pas la graisse, et n'est pas sec non plus. Et ce n'est pas de la viande ! Le thon est super énergétique: parfait si tu fais du sport. Associe-le à du gingembre et à des épices. Prépare-le à l'intérieur, et emporte-le faire un petit tour dehors ! Délicieux accompagné de patates douces frites et d'aïoli.

Préparation

1. Coupe le thon en petits morceaux avec un couteau pointu jusqu'à ce qu'il ressemble à de l'émincé. Mets-le dans un saladier avec la moutarde, le gingembre, le fenouil, le sel, les herbes et le poivre. Mélange doucement pour bien lier le tout.

2. Divise ce mélange en 4 parts de la forme d'un hamburger. Laisse reposer au frigo, ou utilise-les immédiatement.

3. Verse un peu d'huile dans une poêle sur feu moyen. Fais cuire 3 minutes sur chaque face (l'intérieur doit être un peu rosé). Retourne-les, attention c'est friable. Ne panique pas si un morceau se détache. Une fois dans le pain, ça ne se verra pas !

Hamburger aux champignons

Prépare ce hamburger uniquement avec de gros champignons – agarics champêtres ou champignons portobello. Fais-les cuire sur une plaque en fonte (de type plancha), au four ou au barbecue avec des herbes et du citron pour relever leur goût. Si tu aimes ça, fais fondre du fromage dessus: fontine, halloumi ou cheddar. Ajoute des couches de tes ingrédients préférés.

Préparation

1. Si tu cuisines à l'intérieur, préchauffe le four à 220 °C (th. 8); si tu le fais au barbecue, mets les champignons sur une plaque.
2. Arrose-les d'huile d'olive, d'un peu de jus de citron, de sel et de poivre, et garnis avec les herbes. Laisse mariner 30 min.
3. Enfourne 10 min ou fais griller au barbecue 5 à 6 min ou jusqu'à ce qu'ils soient cuits.

Brochettes d'agneau

Ne lésine pas sur le romarin ! Fais mariner l'agneau toute la nuit dans un mélange d'herbes pour qu'il s'imprègne de toutes leurs saveurs. Confectionne tes brochettes juste avant le repas. Jette quelques herbes dans le feu, juste pour voir ce que ça donne. Tes brochettes doivent être croustillantes et légèrement rosées au centre.

Préparation

Mets la viande dans un saladier avec de l'ail écrasé, du romarin, le citron et l'huile d'olive. Laisse-la mariner au moins 1 heure. Répartis la viande entre six brochettes plates. Alterne viande et feuilles de laurier. Saupoudre de sel de mer. Fais cuire au barbecue. Retourne. Arrose de marinade. Renouvelle l'opération. Il y en a pour 10 à 12 minutes.

Pour 6 personnes
Ingrédients

- **900 g de gigot ou de filet d'agneau en cubes**
- **2 brins de romarin frais**
- **2 cuillères à soupe d'huile d'olive**
- **1 citron • Poivre noir**
- **Feuilles de laurier • Ail**

VARIANTE
MARINADE AUX ÉPICES POUR L'AGNEAU
Mélange un grand pot de yaourt nature, 2 c. à café de cumin moulu et de coriandre, 2 gousses d'ail, du jus de citron, du romarin, du thym ou de la menthe. Laisse reposer une nuit pour exhaler tous les arômes.

Week-end en famille

Bon, il faut bien parler de temps en temps avec eux, alors autant que ce soit autour d'une table bien garnie – ça mettra tout le monde de bonne humeur ! Certains week-ends, on dirait qu'un ouragan s'est abattu sur notre cuisine. Tout le monde s'y bouscule. Polly prépare son plat végétarien ; Tom et moi, un rôti. Et, comme d'habitude, Maman s'agite – elle vérifie la cuisson de ses pommes de terre. Mes sœurs Katie et Alice sont aussi dans les parages.

Heureusement, quand tout est prêt – et si on se parle encore – on prend tous plaisir à s'asseoir à la table de la cuisine pour manger. Des choses comme un **poulet au citron avec de délicieuses pommes de terre au four**, ou un **agneau bien parfumé**, cuit directement sur la plaque du four avec de l'ail et des herbes. On va voir ce qu'il y a de bon chez le poissonnier et, avec ce que l'on trouve, on fait aussitôt une **tourte au poisson** nappée de crème. On fait aussi des **lasagnes à la viande** ou végétariennes. Ou encore, une **ratatouille**. Et après, pour mériter son dessert, Papa se charge de nettoyer la cuisine et de faire la vaisselle !

Ingrédients

- 1 gros poulet
(c'est meilleur bio)
- 2 citrons, 1 pour être pressé et l'autre coupé en morceaux
- Brins de romarin, de sauge et d'estragon
- 3 ou 4 tranches de pancetta ou fines tranches de bacon
- Huile d'olive
- Tête d'ail séparée en gousses et pelée
- Sel de mer et poivre

POMMES DE TERRE AU FOUR

- 900 g de pommes de terre (type bintje)
- 2 grosses patates douces pelées et coupées en gros morceaux

Poulet rôti au citron
avec bacon croustillant, ail, herbes et super pommes de terre au four !

Le plat préféré de Tom. Quand il rentre à la maison, il envoie un texto pour qu'on le lui prépare. Ce poulet a un goût génial et une tête vraiment sympa. Ne sois pas intimidé par le fait de cuisiner une volaille entière. Décore-la comme un sapin de Noël. Fais rôtir tes patates au four. Avec un fouet, prépare une sauce avec le jus parfumé au citron. Fais un délicieux bouillon avec ce qui reste. Même mes sœurs végétariennes regrettent de ne pas en manger !

Préparation

1. Préchauffe ton four à 190 °C (thermostat 6).

2. Pèse ton poulet et prévois 20 min de cuisson pour 500 g, et ajoute 20 min de plus. Mets-le dans un grand plat à rôtir.

3. Couvre-le de pancetta, pour l'humidifier pendant la cuisson. Pose dessus une rondelle de citron, et des brins d'herbes entre les articulations et sur tout le poulet.

4. Arrose-le d'un filet d'huile d'olive et de jus de citron. Sale et poivre. Enfourne-le et règle le minuteur sur la durée que tu as calculée.

5. Pendant la cuisson, pèle les pommes de terre. Fais-les bouillir 10 min, égoutte-les. Pique leur surface avec une fourchette pour qu'elles croustillent plus facilement. 50 min avant la fin de la cuisson du poulet, ajoute dans le plat à rôtir les pommes de terre, les morceaux de patates douces et de citron, et les gousses d'ail. Arrose le tout de jus de citron. Sale, poivre, et remets au four.

6. Quand c'est terminé, plante un couteau dans le poulet pour vérifier qu'il est cuit. Le jus qu'il rend doit être clair, pas rose. Retire-le du four et laisse-le reposer 10 à 15 min dans un endroit chaud.

7. Retourne les pommes de terre avec une spatule en métal. Mets-les plus haut dans le four ou augmente la température pour qu'elles soient plus croustillantes.

8. Au bout de 10 ou 15 min, enlève les pommes de terre et les légumes du plat à rôtir pour confectionner la sauce. Découpe le poulet ; qui aura l'os de la chance ? N'oublie pas de manger aussi l'ail !

Sauce au jus de viande

Après avoir retiré l'excédent de graisse, verse 600 ml d'eau dans le plat à rôtir. Pose-le sur la cuisinière. Fais bouillir 3 à 4 min à feu très fort en remuant et en grattant le fond du plat pour décoller les morceaux qui pourraient avoir accroché. Goûte, mets du sel et du poivre. Retire du feu et verse dans une saucière. Avant de servir, dégraisse une fois encore la sauce si nécessaire.

À déguster avec : un gratin de chou-fleur (p. 71) et des haricots verts croquants.

EN HIVER

⭐ Chou-fleur et brocoli sont bons avec de l'ail haché, du cumin, de l'huile d'olive, du sel et grillés au four 30 min.

⭐ Coupe des carottes en bâtonnets, arrose-les d'un filet de jus d'orange, parsème de beurre, sale et poivre. Enveloppe d'une feuille d'alu et mets à cuire 30 min au four.

EN ÉTÉ

Une salade, des pommes de terre nouvelles, des petits pois, une ratatouille, de la mayo, du chutney et des condiments.

Pour 4 à 6 personnes

Ingrédients

- 1,5 kg d'agneau
- Beurre
- 1,5 kg de pommes de terre (type bintje) pelées et coupées en fines tranches
- 8 gousses d'ail émincées
- Herbes fraîches (sauge, romarin, menthe ou thym)
- Huile d'olive
- Sel et poivre noir

À déguster avec: des haricots verts; de la salade verte; de la sauce à la menthe; de la ratatouille.

VARIANTE

À l'ÉTAPE 2, avec un couteau pointu fais des entailles dans l'agneau. Glisses-y de l'ail et des herbes. Mets l'agneau dans un plat à rôtir, verse dessus un filet d'huile et sale. Dispose tout autour des pommes de terre à moitié cuites. Fais rôtir le tout ensemble.

Rôti d'agneau aux herbes
et pommes de terre à l'ail

Savoureuse et un peu étrange, cette viande n'est pas rôtie dans un plat. Prépare-la et pose-la directement sur la grille supérieure de ton four. Mets des pommes de terre à l'ail sur un plat, pose-le sur la grille juste au-dessous… comme ça tu récupéreras le jus ! C'est super bon et, en plus, il n'y a pas trop de vaisselle. Invite toute ta famille !

Préparation

1. Préchauffe ton four à 200 °C (thermostat 7).

2. Beurre généreusement un plat peu profond allant au four. Dispose des couches de pommes de terre en ajoutant la moitié de l'ail, des petits morceaux de beurre, le sel et le poivre.

3. Avec un couteau, quadrille le rôti de larges et profondes entailles horizontales et verticales. Mets le reste de l'ail et les herbes dans ces entailles. Pose l'agneau sur une assiette. Sale et poivre bien, et arrose d'un filet d'huile.

4. Pose le plat de pommes de terre sur la grille inférieure de ton four. Apporte l'assiette avec la viande jusqu'au four, et glisse l'agneau sur la grille située au-dessus des pommes de terre.

5. Fais rôtir 1 h 30. Ce mode de cuisson permet à la viande de « s'ouvrir » et de croustiller un peu. Vérifie la cuisson avec un couteau pointu – la viande peut être un peu rosée mais, si tu veux qu'elle soit bien cuite, laisse-la plus longtemps au four.

6. Laisse reposer l'agneau 15 à 20 minutes sur une assiette dans un endroit chaud. Fais passer le plat de pommes de terre sur la plaque du dessus afin qu'elles dorent et croustillent à leur tour. Augmente la température du four si nécessaire.

Ratatouille niçoise

Teste donc la saveur intense de ce rafraîchissant « ragoût » de légumes. Il a un petit goût aigre-doux… grâce auquel mes sœurs restent très douces ! La ratatouille a assez de caractère pour être mangée seule, mais elle accompagne aussi super bien l'agneau.

Préparation

1. Fais chauffer de l'huile d'olive dans une grande casserole. Fais dorer les aubergines. Égoutte-les sur de l'essuie-tout.

2. Ajoute de l'huile. Fais dorer l'oignon et le céleri. Ajoute les tomates coupées en quartiers, les courgettes coupées en gros morceaux, le vinaigre, le sucre, le sel et le citron. Laisse cuire à feu très doux 15 min en remuant pour que ça n'accroche pas.

3. Augmente le feu. Remets les aubergines. Ajoute les câpres, les olives et le thym. Fais mijoter 10 min – les légumes doivent être tendres. Goûte et ajoute éventuellement du sucre ou du vinaigre.

Pour 4 à 6 personnes

Ingrédients

- 3 aubergines coupées en gros morceaux
- 1 oignon émincé
- 2 branches de céleri émincées
- 3 ou 4 grosses tomates mûres épépinées
- 2 courgettes
- Huile d'olive
- 2 c. à soupe de vinaigre de vin
- 1 c. à soupe de sucre
- 1 petit quartier de citron
- 2 c. à café de câpres
- 8 olives noires
- Brins de thym frais
- Sel et poivre noir

Pour 4 personnes
Ingrédients

- 900 g de filet de poisson blanc, ou moins, en ajoutant jusqu'à 225 g de saumon et/ou de haddock fumé
- 600 ml de lait
- 75 g de beurre
- 50 g de farine (sans levure)
- 3 c. à soupe de persil ou d'aneth frais hachés
- 1/2 c. à café de moutarde
- Jus de citron
- 1 petit oignon
- 75 g de champignons coupés en lamelles
- 3 œufs durs (facultatif)
- 100 g de crevettes cuites et décortiquées (facultatif)
- Sel et poivre

NAPPAGE PURÉE
- 900 g de pommes de terre coupées en gros morceaux
- 4 c. à soupe de lait
- Beurre
- 1/2 c. à café de moutarde
- 50 g de fromage râpé (facultatif)

À déguster avec : de la purée de petits pois, des haricots verts.

Tourte du pêcheur

Quand on va pêcher avec mon copain Fordy, on ne sait jamais ce qu'on va attraper. Un peu comme cette tourte : tu peux la faire différente à chaque fois. Prends du poisson blanc comme base, puis ajoute un peu de saumon et de haddock fumé, et des crevettes.

Préparation

1. Préchauffe le four à 200 °C (thermostat 7). Mets le poisson et le lait dans un grand plat allant au four. Fais cuire 10 minutes.

2. Pour le nappage, fais bouillir 15 à 20 minutes les pommes de terre. Égoutte-les et prépare une purée avec le lait, une noix de beurre, la moutarde, le citron, le sel et le poivre.

3. Mets le poisson sur une assiette. Garde le lait de côté. Retire la peau du poisson et coupe la chair en morceaux. Retire les arêtes.

4. Fais fondre 55 g de beurre dans une casserole. Ajoute la farine. Mélange et fais chauffer doucement pendant 2 minutes. Incorpore petit à petit le lait que tu as mis de côté. Fais bouillir, tout en remuant, pour une béchamel épaisse et onctueuse (voir p. 155). Ajoute le sel, le poivre, les herbes, la moutarde et le jus de citron.

5. Fais revenir légèrement l'oignon dans le reste de beurre. Ajoute les champignons et laisse cuire 2 minutes.

6. Mets dans le plat le poisson, les champignons, les œufs coupés en deux et les crevettes (si tu en mets). Recouvre de sauce et nappe de purée. Quadrille le dessus avec une fourchette. Parsème de petits morceaux de beurre ou de fromage râpé.

7. Fais cuire 30 à 40 minutes au four.

VARIANTE
SUCCULENTE MOUSSAKA
Ajoute une pincée de cannelle dans ta sauce à la viande. Fais frire 2 ou 3 aubergines émincées. Dispose en couches la viande, les aubergines et la sauce. Termine par une couche d'aubergines et de la sauce au fromage. Cuis comme des lasagnes.

Lasagnes

Des pâtes qui ont de la classe! Prépare une sauce bolognaise et une sauce au fromage vraiment savoureuses. Les lasagnes cuisent au four sans problème. Prépares-en deux fois plus si tout le monde reçoit des amis pour le week-end. Ils te seront vraiment reconnaissants!

Préparation

1. Prépare la sauce bolognaise.

2. Préchauffe le four à 200 °C (thermostat 7). Graisse un grand plat allant au four, d'au moins 5 cm de profondeur.

3. Prépare la béchamel. Ajoute en remuant le cheddar râpé, la moutarde et le jus de citron.

4. Verse un tiers de la sauce bolognaise dans le plat. Ajoute une seule couche de pâtes. Arrose d'un petit filet de sauce au fromage, et saupoudre d'un peu de parmesan. Ajoute un autre tiers de bolognaise, une autre couche de pâtes et un peu de sauce au fromage, puis le reste de la bolognaise et une dernière couche de pâtes. Nappe le tout avec le reste de sauce au fromage.

5. Parsème de beurre ou ajoute les tranches de mozzarella, ou encore, saupoudre de cheddar ou de parmesan râpés. Fais cuire au four pendant 40 minutes.

6. Retire les lasagnes du four et laisse-les reposer 10 minutes avant de servir.

Pour 6 à 8 personnes

Ingrédients

- **Sauce bolognaise (page 64)**
- **Béchamel classique (page 155)**
- **75 g de cheddar vieux râpé**
- **1/2 à 1 cuillère à café de moutarde en poudre**
- **Le jus de 1/2 citron**
- **Un paquet de 250 g de lasagnes fraîches**
- **4 à 6 cuillères à soupe de parmesan fraîchement râpé**
- **Environ 25 g de beurre ou 100 g de mozzarella en tranches, ou 50 g de cheddar ou de parmesan râpés (pour le dessus)**

> **VARIANTE**
> LASAGNES VÉGÉTARIENNES
> À l'ÉTAPE 1, prépare une ratatouille ou fais revenir des légumes. À l'ÉTAPE 4, remplace la bolognaise par la ratatouille, ou les légumes mélangés à une sauce tomate faite maison (p. 65). Un délice!

Les desserts… !

Les desserts ? Bien sûr qu'il faut en manger ! C'est ce qu'il y a de meilleur… En plus, ils ont le pouvoir de réduire toute la famille au silence. Il suffit d'en apporter un pour que chacun plonge le nez dans son assiette ! Les desserts transforment les repas quotidiens en véritables fêtes. Ils réussissent à égayer même la pire des journées.

Tu manques de temps ? Passe un yaourt au mixeur avec quelque chose qui a du goût. Fais une salade de fruits toute simple. Tu n'es pas pressé ? Prépare un **roulé au chocolat**, et prends-en une bonne tranche ! Ou une **mousse au chocolat**, mon dessert préféré.

Aiguise tes talents de cuisinier en élaborant des desserts ! Prépare une **tarte à la mélasse**. Des **meringues**, que tu peux broyer pour faire un **« Eton mess », un classique anglais**. Confectionne un **soufflé acidulé à la crème de citron**. Plonge des **quartiers d'orange dans une sauce au caramel**. Offre-toi un **crumble tutti-frutti**. Quand il y a plein de monde à la maison, sers un **cheesecake**, ou l'étonnante **surprise à l'amaretto** de mon copain Tom ! Et ne mange jamais de **glace** sans l'accompagner d'un de nos **coulis maison**… Ils sont à tomber !

VARIANTE

SALADE DE FRUITS
THAÏE AU CITRON VERT
Tu aimes les salades
de fruits bien juteuses?
Fais bouillir pendant
5 minutes 300 ml
d'eau, 125 g de sucre,
5 feuilles de citron vert
sèches et une tige
de citronnelle. Laisse
refroidir, puis ajoute
le jus du citron vert.
Passe au tamis, et
ajoute des morceaux
de fruits exotiques.
Mets au frigo.

Pour 4 personnes
Ingrédients

- **Petites grappes de raisin épépiné – rouge ou blanc, ou les deux**
- **Petit panier de fraises**
- **Carambole**
- **2 kiwis pelés**
- **1 petit pamplemousse**
- **1/2 melon galia**
- **1 tranche de pastèque**
- **1 mangue**
- **1 pomme ou 1 poire**
- **Jus de citron**

Brochettes de fruits

Si tu poses une coupe de fruits sur la table, que se passe-t-il? Personne n'y fait attention. Prends les mêmes fruits, coupe-les en morceaux et fais-en des brochettes, ça passionnera tout le monde. Curieux, non? Fais tes brochettes avec tous les fruits que tu voudras. Pour les grandes occasions, choisis quelques fruits exotiques. Pour un repas ordinaire, prends ceux qu'il y a chez toi. Même une poire ou une pomme peut sembler ultra appétissante sous forme de brochette!

Préparation

1. Ne coupe pas les raisins ni les fraises.

2. Épépine le melon et la pastèque. Coupe-les en gros morceaux.

3. Pèle le pamplemousse, la mangue et les kiwis. Coupe-les en morceaux. Coupe la carambole en tranches.

4. Pèle et coupe la pomme ou la poire. Badigeonne-la de citron pour l'empêcher de brunir.

5. Répartis ces fruits sur 8 brochettes en bois dans n'importe quel ordre.

La surprise à l'amaretto de mon copain Tom

Un soufflé froid ? Ou une meringue chaude avec un coulis de fruits ? En tout cas, il faut que tu l'essaies !

Préparation

1. Préchauffe le four à 180 °C (thermostat 6). Beurre un moule à soufflé de 800 ml. Tapisse-le bien de sucre. Retire l'excédent.
2. Dans un grand saladier, bats les blancs en neige avec le sel et la crème de tartre. Incorpore le sucre petit à petit en battant jusqu'à ce que le mélange soit vraiment épais. Ajoute délicatement avec une cuillère en inox la moitié des biscuits grossièrement écrasés.
3. Verse délicatement le mélange dans le moule à soufflé. Enfourne pendant 20 min. Comme il va gonfler, prévois de la place.
4. Sers ce dessert avant qu'il ne retombe. Verse le coulis et saupoudre le reste des biscuits dessus. Ou alors laisse-le reposer quelques minutes. Glisse un couteau entre le moule et le soufflé, démoule-le précautionneusement sur une assiette. Saupoudre le reste des biscuits. Verse le coulis tout autour. Tu peux aussi le mettre au frigo et le servir de la même manière. Délicieux !

Pour 6 à 8 personnes
Ingrédients

- 4 gros blancs d'œufs
- 1 bonne pincée de sel
- 1 bonne pincée de crème de tartre
- 50 g de sucre en poudre
- 1 cuillère à soupe de beurre un peu ramolli
- 1 c. à soupe de sucre en poudre pour le moule
- 8 biscuits à l'amaretto
- Coulis de framboises (page 130)

Ingrédients

Pour 4 à 6 personnes

- 175 g de très bon chocolat noir à dessert
- 2 c. à soupe de café noir fort (pour faire un demi-mug, prends une bonne cuillère à café de café en poudre)
- 4 gros œufs
- 1 c. à soupe de beurre à température ambiante
- 2 c. à café de jus d'orange ou de rhum (facultatif)

Mousse au chocolat

C'est bien connu : nos invités repartent de chez nous les bras chargés de saladiers de cette mousse au chocolat. Sauf si j'arrive à mettre la main dessus avant ! Elle est rapide et facile à préparer. Elle se sert dans un grand saladier, un verre, une tasse ou un ramequin. Ne t'embête pas à la napper de fruits ou de crème. C'est du chocolat, point ! Alors plonge ta cuillère dedans !

Préparation

1. Sépare les blancs des jaunes. Mets les premiers dans un grand saladier, les seconds dans un autre.

2. Remplis d'eau le tiers d'une casserole. Fais frémir. Prends un saladier résistant à la chaleur qui s'adapte à la casserole ; il ne doit pas toucher l'eau. Casse le chocolat dans le saladier et ajoute le café.

3. Place sur la casserole le saladier contenant le chocolat ; laisse-le fondre très doucement.

4. Remue avec une cuillère en bois pour bien mélanger le chocolat et le café. Retire du feu. Incorpore les jaunes et remue rapidement.

5. Ajoute le beurre, le rhum ou le jus d'orange. Bats le tout rapidement et vigoureusement jusqu'à obtenir un mélange brillant.

6. Bats les blancs en neige avec une pincée de sel jusqu'à ce qu'ils soient blancs et bien fermes, mais pas secs. Incorpore-les au chocolat.

7. Avec une grande cuillère en métal, mélange les blancs et le chocolat en dessinant de grands « 8 ». Ne travaille pas trop le mélange ; il doit rester aéré. S'il y a une petite tache de blanc, ce n'est pas un drame.

8. Mets la mousse dans des coupelles ou des tasses, et mets-les au frigo pendant deux heures, ou plus longtemps. Trop bon.

VARIANTES
Essaie d'autres mélanges classiques:
⭐ Rhubarbe (fais-la d'abord cuire 5 minutes) et fraises.
⭐ Prunes et pommes.
⭐ Pommes à cuire et mûres.

Crumble tutti-frutti

Rien à voir avec les mauvais crumbles qu'on sert à la cantine!

Préparation

1. Préchauffe le four à 180 °C (thermostat 6).

2. Pèle les pommes et coupe-les en tranches. Mets-les dans une casserole avec la moitié du sucre, le beurre, le jus d'orange et l'eau. Fais chauffer à feu doux environ 5 minutes. Quand les fruits commencent à ramollir, retourne-les avec une cuillère en bois.

3. Verse les pommes dans un plat de 1,2 l. Ajoute les autres fruits, saupoudre avec le reste de sucre et mélange.

4. Pour la pâte, verse la farine dans un saladier. Coupe le beurre en petits morceaux et jette-les dans la farine. Incorpore-les à la farine avec les doigts de manière à obtenir un mélange friable mais un peu grumeleux. Ajoute le sucre. Mélange.

5. Saupoudre cette préparation sur les fruits, sans appuyer.

6. Enfourne 30 à 35 minutes, jusqu'à ce que les fruits soient cuits et le crumble doré. Déguste avec de la crème fraîche, de la crème anglaise ou de la glace.

Pour 4 personnes

Ingrédients

- 2 ou 3 pommes
- 2 c. à soupe de sucre
- 2 c. à café de beurre
- Jus d'orange
- 2 c. à soupe d'eau
- 1 banane coupée en lamelles
- 100 g de framboises
- 1 pêche pelée et coupée en lamelles

NAPPAGE CRUMBLE
- 175 g de farine (sans levure)
- 75 g de beurre froid
- 75 g de sucre en poudre

Pour 8 meringues

Ingrédients

- **4 gros œufs (les blancs)**
- **225 g de sucre en poudre**
- **300 ml de crème fraîche épaisse**
- **450 g de framboises**

VARIANTES

PAVLOVA

À l'ÉTAPE 6, donne au mélange la forme d'une seule grosse meringue. Fais-la cuire 1 h 30. Laisse refroidir. Quand elle est froide, recouvre-la de framboises et de crème.

MERINGUE AVEC GLACE Fais un sandwich avec 2 meringues, de la crème et de la glace. Arrose-les d'un coulis de chocolat ou de caramel. Déguste avec des morceaux de pêches fraîches et des rondelles de bananes.

Pour 4 à 6 personnes

Ingrédients

- **300 ml de crème fraîche épaisse**
- **8 meringues**
- **450 g de fraises**
- **Une bonne dose de vin blanc ou de jus d'orange**
- **25 g de sucre glace**

Meringues
à la framboise et à la crème

Tout le monde connaît les meringues. Voici simplement la meilleure façon de les faire !

Préparation

1. Préchauffe le four à 150 °C (thermostat 5).

2. Huile une grande plaque de four plate et recouvre-la de papier sulfurisé. Lave-toi les mains – la graisse empêche les blancs de bien monter.

3. Sépare les blancs des jaunes d'œufs. Mets les blancs dans un grand saladier ou dans le bol du mixeur. Garde les jaunes pour une mayonnaise.

4. Bats les blancs jusqu'à ce qu'ils soient mousseux puis ajoute le sucre – une cuillère à soupe à la fois, et en battant entre chaque cuillère. Continue jusqu'à ce que tu obtiennes un mélange brillant et épais.

5. Prends la préparation avec une cuillère à soupe et mets-la sur la plaque. Aide-toi d'une autre cuillère pour lui donner l'apparence d'une meringue : une grosse forme inégale. Renouvelle l'opération en laissant suffisamment de place pour que les meringues puissent lever.

6. Baisse la température du four à 140 °C (thermostat 4/5). Laisse cuire les meringues 1 h 30. Éteins le four. Laisse-les sécher à l'intérieur pendant que le four refroidit.

7. Enlève-les délicatement du papier sulfurisé. Elles se conserveront dans une boîte une semaine. Tu peux les manger en sandwich avec de la crème fraîche épaisse et quelques framboises fraîches.

Meringue de l'étudiant
« Eton mess »

Pour faire ce super dessert, achète des meringues toutes faites. À moins qu'il ne t'en reste des tonnes, ce n'est pas la peine d'en préparer toi-même pour les casser ensuite en petits morceaux.

Préparation

1. Coupe grossièrement les fraises dans un saladier. Couvre-les de jus d'orange ou de vin. Ajoute le sucre glace, mets au frigo.

2. Juste avant de manger ce dessert, fouette la crème jusqu'à ce qu'elle soit onctueuse (pas dure comme de la pierre).

3. Écrase les meringues. Mets-les dans la crème. Ajoute les fruits. Remue délicatement pour donner un aspect marbré.

4. Sers dans des verres, des gobelets ou un grand saladier.

VARIANTE

Mélange des fraises et des framboises. Écrase quelques framboises et laisse toutes les autres entières.

Pour 6 personnes
Ingrédients

PÂTE BRISÉE
- 225 g de farine (sans levure)
- 100 g de beurre froid
- 2 ou 3 c. à soupe d'eau très froide

GARNITURE
- Zeste râpé de 1 citron
- 1 c. à soupe de jus de citron
- 9 c. à soupe de miettes de pain blanc frais
- 9 c. à soupe de mélasse
- 3 c. à soupe de crème fraîche épaisse

Tarte à la mélasse

Essaie de réaliser toi-même la pâte brisée. C'est assez rapide, et une fois que tu auras compris la méthode, super simple, tu la réussiras en moins de deux !

Préparation

1. Graisse un moule à tarte de 23 cm de diamètre.

2. Mets la farine dans un saladier. Coupe le beurre en petits morceaux et, avec tes doigts, incorpore-les délicatement à la farine jusqu'à ce qu'ils disparaissent dedans. Le mélange doit avoir l'aspect de miettes de pain lisses – sans grumeaux.

3. Ajoute 2 cuillères à soupe d'eau, mélange avec une fourchette. Ajoute un peu d'eau si nécessaire. Malaxe la pâte pour former une boule. Reste calme ; pour être bon pâtissier, il ne faut pas s'énerver !

4. Pose la pâte sur une planche farinée. Roule-la délicatement avec un rouleau à pâtisserie fariné ; fais en sorte que la pâte fasse 5 mm d'épaisseur. Il faut qu'elle soit suffisamment grande pour couvrir le fond et les côtés du moule, et même un peu plus.

5. Glisse le rouleau sous la pâte, puis déroule-la dans le moule. Ne t'en fais pas si le résultat n'est pas parfait ; utilise des morceaux de pâte pour combler les trous et uniformiser.

6. Passe le rouleau pour couper les pans qui débordent du moule.

7. Avec une fourchette, fais des petits trous sur tout le fond de la pâte. Mets 30 min au réfrigérateur.

8. Préchauffe le four à 190 °C (th. 6). Mélange les miettes de pain, la mélasse, la crème, le zeste de citron et le jus, puis verse le tout sur le fond de tarte. Fais cuire 25 à 30 min jusqu'à ce que la tarte soit dorée. Mange-la chaude ou froide, accompagnée de crème anglaise ou de glace.

Soufflé au citron

Si tu es dingue de citron, tu vas adorer! Même si ce dessert n'a pas l'air extraordinaire, il te réserve deux surprises : dessus, une consistance mousseuse qui fond délicieusement dans la bouche et, au fond, une couche de crème au citron.

Préparation

1. Préchauffe le four à 180 °C (thermostat 6). Enduis de matière grasse un moule à tarte ou à soufflé d'une contenance de 1,5 l.

2. Sépare les jaunes des blancs d'œufs. Dans un grand saladier, bats-les en neige jusqu'à ce qu'ils forment des pointes bien fermes.

3. Avec une cuillère en bois ou un batteur électrique, travaille le beurre et le sucre de manière à obtenir un mélange onctueux et léger. Ajoute le zeste puis le jus de citron. Le résultat peut paraître bizarre, mais continue à battre.

4. Avec un fouet, incorpore petit à petit les jaunes d'œufs battus. Ajoute la farine, et bats encore. Verse le lait. Mélange, puis incorpore les blancs.

5. Verse la préparation dans le moule, et place le moule dans un plat à rôtir. Verse de l'eau chaude dans le plat jusqu'à ce que l'eau arrive à la moitié de l'extérieur du moule.

6. Enfourne 40 à 50 minutes ou jusqu'à ce que le dessert ait levé et soit doré sur le dessus. Mange chaud, tiède ou froid.

Pour 4 personnes
Ingrédients

- **4 citrons**
- **5 œufs de taille moyenne**
- **125 g de beurre un peu ramolli**
- **175 g de sucre en poudre**
- **60 g de farine (sans levure)**
- **120 ml de lait**

ET POURQUOI PAS ?

Avant de les presser, passe 1 à 2 minutes les citrons au four ; ils rendront plus de jus.

Pour 8 à 10 personnes
Ingrédients

- 225 g de biscuits au gingembre ou de sablés
- 75 g de beurre
- 675 g de fromage blanc ou de fromage frais
- 175 g de sucre en poudre
- 3 œufs • 1 citron
- Quelques gouttes d'extrait de vanille
- Lanternes chinoises (alkékenges)
- Fraises ou framboises
- 300 ml de crème fraîche épaisse

Cheesecake (notre chouchou!)

Ce gâteau au fromage cuit au four est idéal quand des copains ou de la famille arrivent en force! Sa texture est onctueuse et le fond est vraiment délicieux. Accompagne-le des fruits que tu aimes. Personnellement, je le préfère nature avec des lanternes chinoises; ces fruits sont super beaux et bourrés de vitamines!

Préparation

1. Préchauffe le four à 150 °C (thermostat 5). Beurre un moule à gâteau détachable d'un diamètre de 23 cm.

2. Mets les biscuits dans un sac congélation, puis écrase-les en fines miettes avec un rouleau à pâtisserie. Ou passe-les au mixeur.

3. Fais fondre le beurre dans une casserole. Ajoute les miettes et mélange bien. Mets cette préparation dans le moule; aplatis-la pour qu'elle recouvre le fond. Mets au frigo pour raffermir.

4. Passe au mixeur le fromage, le sucre en poudre, les œufs, le zeste de citron, l'extrait de vanille et une bonne quantité de jus de citron jusqu'à ce que tu obtiennes un mélange onctueux (tu n'as pas de mixeur? Bats ces ingrédients avec une cuillère en bois).

5. Verse cette préparation au fromage sur la base biscuitée pour bien l'en recouvrir. Enfourne 35 à 40 min, puis éteins le four. Laisses-y le cheesecake, le temps qu'il refroidisse et se raffermisse. Ensuite, mets au réfrigérateur pendant 2 h au moins.

6. Décore le gâteau de fruits. Ou recouvre-le de crème fouettée avant d'ajouter les fruits de ton choix.

Tranches d'orange au caramel

Les oranges terminent un repas en beauté ! Mange-les en tranches nappées de coulis au caramel. C'est chic !

Écoute bien tous les bruits.

Préparation

1. Pèle et coupe en tranches fines les oranges. Mets-les dans un saladier avec tout le jus qui a coulé.

2. Verse 150 ml d'eau froide et le sucre en poudre dans une casserole à fond épais avec la citronnelle ou le romarin. Fais chauffer à feu doux et laisse se dissoudre jusqu'à ce que le mélange soit transparent.

Remue avec une cuillère en bois.

3. Augmente le feu. Arrête de remuer. Fais bouillir l'eau sucrée à gros bouillons pendant quelques minutes jusqu'à ce qu'elle devienne marron doré.

4. Garde à proximité de toi la cruche contenant les 150 ml d'eau chaude.

5. Pour cette opération, enfile des gants de cuisine et fais extrêmement attention. Transporte avec beaucoup de précaution la casserole de caramel jusqu'à l'évier. Tiens-la à distance de ton visage – au-dessus de l'évier – et prépare-toi au bruit de feu d'artifice que va faire l'eau quand tu vas la verser lentement dans le caramel chaud pour le délayer.

6. Verse le caramel sur les oranges et laisse refroidir. Mets au réfrigérateur.

Pour 4 à 6 personnes
Ingrédients

- 6 oranges
SIROP
- 225 g de sucre en poudre
- 1 brin de citronnelle ou 1 grand brin de romarin
- 150 ml d'eau froide pour dissoudre le sucre
- 150 ml d'eau chaude pour délayer le caramel

VARIANTE
Utilise du pamplemousse, seul ou mélangé aux oranges.

Ingrédients

Pour 8 à 10 personnes

- Huile de tournesol, pour enduire le moule
- 225 g de chocolat noir à croquer
- 150 g de sucre en poudre
- 5 œufs
- 1 cuillère à café de café soluble
- 4,5 cuillères à soupe d'eau
- Sucre glace
- 300 ml de crème fraîche épaisse

À déguster avec : des fruits rouges

ET POURQUOI PAS ?
Fais la pâte le soir. Finis la recette et déguste le lendemain.

Roulé au chocolat

Chez nous, je ne sais pas pourquoi, ce dessert a quelque chose de mythique. Alors, essaie-le. Préparer ce roulé et le disposer sur une assiette sans le casser est une vraie mission. Mais même s'il s'effrite un peu, il sera excellent. Fantastique pour un anniversaire.

Préparation

1. Préchauffe le four à 220 °C (thermostat 7). Huile un moule à roulé de 23 cm x 33 cm. Découpe un morceau de papier sulfurisé assez grand pour tapisser le moule et dépasser de 4 cm sur les bords. Plie le papier pour qu'il épouse le moule et ses coins, et huile-le très légèrement.

2. Sépare les blancs des jaunes d'œufs. Tes mains ne doivent pas être huileuses. Mets les jaunes dans un saladier, et les blancs dans un autre.

3. Incorpore le sucre glace aux jaunes, fouette avec un fouet électrique ou manuel jusqu'à obtenir un mélange léger, clair et mousseux.

4. Casse le chocolat dans une casserole à fond épais. Ajoute l'eau et le café soluble.

5. Chauffe à feu <u>très</u> doux et remue délicatement avec une cuillère en bois jusqu'à ce que le chocolat soit crémeux et fondu.

6. Avec une grande cuillère en inox, incorpore le chocolat fondu à la mousse.

7. Bats les blancs d'œufs jusqu'à ce qu'ils soient mousseux et fermes. Incorpore-les délicatement au mélange de chocolat. Ne t'en fais pas s'il reste une petite tache de blancs en neige.

8. Verse le mélange dans le moule. Fais cuire 12 à 14 minutes – le roulé doit être bruni et peut être un peu craquelé sur le dessus. Il retombera quand tu le sortiras du four. Laisse-le refroidir.

9. Fouette la crème fraîche jusqu'à ce qu'elle ait une consistance ferme et onctueuse à la fois.

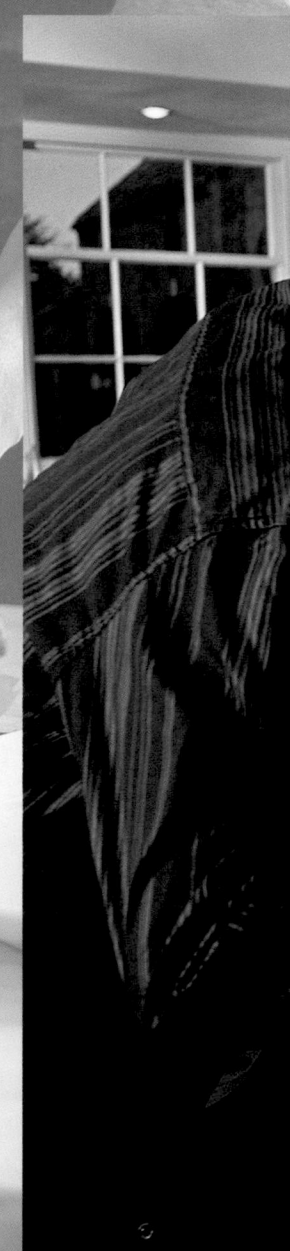

Étale-la sur le roulé avec une spatule.

10. Soulève l'extrémité du gâteau et enroule-la dans la direction opposée pour constituer ton roulé! Tout en le roulant, débarrasse-le du papier sulfurisé. Il est possible qu'il se craquelle et que des morceaux tombent. Ne panique pas – continue à enrouler. Quand tu arrives à la fin, glisse le gâteau sur une assiette.

11. Saupoudre d'un peu de sucre glace tamisé.

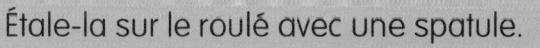

Pour 6 personnes
Ingrédients

- 100 g de chocolat noir à croquer
- 15 g de beurre
- 2 cuillères à soupe d'eau
- 2 cuillères à soupe de mélasse
- 1 cuillère à café d'extrait de vanille

Pour 6 personnes
Ingrédients

- 25 g de beurre
- 2 cuillères à soupe de mélasse
- 175 g de vergeoise
- 4 cuillères à soupe de crème fraîche liquide

Pour 6 personnes
Ingrédients

- 225 g de framboises
- 1 à 2 cuillères à soupe de sucre en poudre

Coulis d'enfer

Voici des super coulis à verser simplement sur de la glace. Ou alors, sers-t'en pour faire une coupe glacée avec des fruits frais, de la meringue et, pourquoi pas, une petite bougie scintillante !

Coulis de chocolat (extra !)

Préparation

1. Casse le chocolat dans un saladier. Mets-le au-dessus d'une casserole d'eau frémissante.
2. Ajoute le beurre, la mélasse et l'eau. Remue jusqu'à obtenir un mélange onctueux.
3. Retire du feu et ajoute la vanille. Sers bien chaud. Ce coulis se garde une semaine au frigo.

Coulis au caramel

Préparation

Fais fondre le beurre, la mélasse et la vergeoise dans une petite casserole. Porte à ébullition. Incorpore la crème en remuant puis remets à chauffer doucement. Ce coulis se conserve comme le précédent. Délicieux chaud ou froid.

Coulis de framboises

Préparation

Mets les framboises dans une casserole avec un peu de sucre. Réchauffe-les doucement jusqu'à ce qu'elles ramollissent et libèrent leur jus. Tamise ce dernier au-dessus d'un saladier. Verse ce coulis sur de la glace ou sers-t'en pour préparer une coupe glacée.

Coulis au Mars

Préparation

Casse le Mars en morceaux dans une casserole, et ajoute dans le lait. Mélange avec une cuillère en bois pour obtenir un coulis onctueux, avec des morceaux de caramel. Consomme chaud.

Pour 2 personnes

Ingrédients

- 1 Mars
- 3 cuillères à soupe de lait

Faire la fête !

Les fiestas ? J'adore ! Anniversaires, nuits blanches, grosses fêtes, séances intensives de cinéma, fin de l'année scolaire ou fin de l'année tout court, ou quand les copains sont là, qu'on met de la musique… Toutes les occasions sont bonnes ! Et bien sûr, on mange. Tu peux toujours prévoir des chips, mais bon… c'est la fête ! Alors, prépare plutôt des tonnes de petites choses à grignoter : **parts de hamburger**, tranches de **pizza** maison, **grosses frites et piment**, **nachos au four** avec sauce salsa, **guacamole** et **cheddar**, **crostinis fins** et croustillants avec de super garnitures, **poulet au miel** cuit au four, assiettes de **brochettes au fromage**… **Badigeonne de miel et de moutarde** quelques excellentes **saucisses**. Prévois aussi du pop-corn.

Propose des **fruits frais**. Compose une montagne de **mini meringues**. Remplis de grands saladiers de **mousse au chocolat**. Fais des **brochettes de fruits**. Fourre **de sorbet au citron des écorces d'orange ou de citron**.

Prépare tout ça à l'avance pour ne pas être coincé à la cuisine et pouvoir t'amuser. Et si tu as des copains qui restent dormir, assure-toi que le frigo est assez plein pour un somptueux petit déj' !

Pour 16 quarts
Ingrédients

- **Mon super hamburger (page 103)**
- **4 pains à hamburger**

ACCOMPAGNEMENT
- **Ketchup • Mayonnaise**
- **Lamelles de cornichons**
- **Moutarde**
- **Roquette (facultatif)**

Pour 16 parts
Ingrédients

- **Un sachet de 7 g de levure de boulanger, ou de 25 g de levure fraîche**
- **300 ml d'eau tiède**
- **450 g de farine panifiable blanche**
- **1 cuillère à café de sel**
- **2 cuillères à soupe d'huile d'olive**

Quarts de hamburger

Des morceaux de hamburger sur des piques cocktail : original !

Préparation

1. Prépare la mixture à la viande. Partage-la et aplatis-la pour former des steaks. Mets-les au frigo en attendant de les utiliser.

2. Cuis les hamburgers. Fais griller légèrement le pain. Fourre de quelques accompagnements.

3. Coupe les hamburgers en quatre. Plante des piques cocktail.

Pizza spéciale fête

Prépare des tas de fonds de pizza. Garnis avec tes ingrédients préférés. Et porte tes vêtements les plus sympas pour faire le service…

Préparation

1. Tamise la farine et le sel dans un saladier tiède.

2. Si tu as de la levure fraîche, mélange-la avec un peu d'eau tiède.

3. Incorpore à la farine la levure, l'huile et le reste d'eau. Mélange de façon à avoir une pâte. Pétris-la 8 min sur une planche farinée jusqu'à ce qu'elle soit onctueuse et élastique.

4. Fais-la lever dans un grand saladier couvert dans un endroit tiède pendant 1 heure, ou jusqu'à ce qu'elle ait doublé de volume.

Huile légèrement quatre plaques de four.

5. Pétris brièvement la pâte et coupe-la en quatre ; forme des cercles ou des rectangles, en fonction de de tes plaques.

6. Fais de nouveau lever 15 à 20 minutes la pâte couverte sur les plaques.

7. Choisis ta garniture (vois p. 83). Fais cuire 15 à 20 min dans un four préchauffé à 230 °C (th. 8). Tu peux aussi préparer tes fonds de pizza à l'avance. Mets-les au congélateur sur les plaques sans les recouvrir. Quand ils sont durs, conserve-les dans des sacs congélation jusqu'au jour de la fête. Garnis-les encore congelés.

Pop-corn

Ouiiiiiiiiii !!!… Organise une fête où tes amis et toi ferez sauter du pop-corn. C'est délicieux, pauvre en graisse et en calories. En plus, il se prépare en 2 minutes ! Fais preuve de créativité en l'associant à goûts salés et épicés, ou opte pour du tout sucré !

Préparation

1. Dans une grande poêle dotée d'un bon couvercle, verse juste assez d'huile nécessaire pour tapisser le fond. Fais chauffer.
2. Recouvre de maïs le fond de la poêle. Ferme bien le couvercle, maintiens-le, et secoue doucement la poêle. En sautant, le maïs peut menacer de s'échapper, maintiens le couvercle bien fermé.
3. Verse le maïs éclaté dans un saladier. Consomme-le tel quel ou avec du sucre glace ou du sel fin. Mélange… et puise dans le plat !

VARIANTES

MAÏS AU PESTO
À l'ÉTAPE 3, mets le maïs dans un endroit chaud. Fais fondre un peu de beurre dans une casserole avec une pincée d'origan ou de basilic. Ajoute du parmesan. Ajoute le maïs, et mélange.
MAÏS AU PIMENT
Fais fondre un peu de beurre dans une casserole. Ajoute du piment de Cayenne et de la ciboule émincée, puis le maïs.

Ingrédients

- **Huile de tournesol**
- **Maïs à souffler**
- **Sucre glace ou sel**

Pour 8 personnes

Ingrédients

- 8 saucisses de porc de très bonne qualité ou de boudin aux pommes
- 2 cuillères à soupe de miel
- 2 cuillères à soupe de ketchup
- 1 cuillère à soupe de moutarde en poudre

Hot dogs maison

Ces hot dogs à la new-yorkaise sont préparés avec des bonnes saucisses enrobées de miel et de moutarde. Sers-les dans des petits pains. Super pour manger un morceau en pleine fête !

Préparation

1. Fais fondre le miel dans une casserole. Verse-le dans un plat avec le ketchup et la moutarde, et laisse mariner les saucisses dans ce plat. Enrobe-les bien du mélange. Couvre le plat et mets-le au réfrigérateur plusieurs heures ou pendant une nuit.

2. Préchauffe le four à 220 °C (thermostat 7).

3. Tapisse un plat à rôtir de papier aluminium. Enfourne les saucisses sur une grille au-dessus de ce plat. Retourne-les et arrose-les à plusieurs reprises si nécessaire.

4. Laisse 20 à 25 min au four ou jusqu'à ce qu'elles soient cuites.

VARIANTE
Coupe les saucisses en quatre et mets-les sur des brochettes avec des tomates cerises et des mini cornichons.

Poulet au miel

Ailes ou pilons? Les deux marchent bien. Prépare une bonne quantité de chaque avec double dose de marinade!

Préparation

1. Dans une casserole, fais chauffer le miel, le jus d'ananas, le vinaigre de vin et le soja à feu doux. Ajoute l'ail, le gingembre, les ciboules, les graines et l'huile de sésame. Remue bien. Retire du feu et laisse refroidir.

2. Mets le poulet dans un plat. Arrose-le du mélange à base de miel. Retourne-le et laisse au réfrigérateur pendant au moins 2 heures ou une nuit.

3. Préchauffe le four à 200 °C (th. 7). Place le poulet dans un plat à rôtir. Arrose-le de jus de citron ou de citron vert et retourne-le dans cette marinade. Fais cuire 35 à 40 minutes en le retournant 2 ou 3 fois. Ce plat est délicieux chaud, tiède ou froid.

Nachos au four

Voilà un plat qui a du caractère. Fais passer le plat à tes copains!

Préparation

1. Préchauffe le four à 180 °C (thermostat 6).

2. Mets les tortillas sur des plaques de four. Garnis-les d'un peu de sauce salsa, et saupoudre-les de cheddar râpé. Enfourne-les 5 à 10 minutes. C'est prêt quand de petites bulles de fromage se forment à la surface.

3. Sers avec la crème, le guacamole et les quartiers de citron.

Pour 12 personnes
Ingrédients

- 3 c. à soupe de miel
- 50 ml de jus d'ananas
- 1 c. à soupe de vinaigre de vin
- 50 ml de sauce soja
- 2 gousses d'ail écrasées
- 5 cm de racine de gingembre frais râpée
- 3 ciboules hachées menu
- 4 c. à café d'huile de sésame
- 900 g d'ailes de poulet
- Graines de sésame
- Jus de citron

Pour 12 personnes
Ingrédients

- 3 grands sachets de tortillas
- Double dose de sauce salsa (page 80)
- 225 g de cheddar vieux râpé
- 300 ml de crème aigre
- Double ration de guacamole (page 80)
- 3 citrons verts

Pour 10 personnes

Ingrédients

- 400 g de feta (2 paquets)
- Huile d'olive
- Jus de citron
- Origan en poudre
- 1 concombre
- 20 tomates cerises
- 20 grains de raisin épépinés
- 10 olives noires dénoyautées

Salade grecque en brochettes

Opte pour une cuisine internationale avec ces brochettes au fromage. Utilise des piques cocktail ou des brochettes en bois, et fais alterner trois variétés de fromage avec d'autres ingrédients succulents. Et ensuite, sers-toi des piques et des brochettes pour faire éclater tes ballons…

Préparation

1. Coupe le fromage en cubes. Fais-le mariner dans 4 cuillères à soupe d'huile d'olive, une cuillère à soupe de jus de citron et une cuillère à café d'origan en poudre. Remue et laisse reposer 30 minutes.

2. Pèle et coupe le concombre en cubes. Dispose-les avec les autres ingrédients sur des brochettes ou des piques cocktail si le fromage s'effrite.

VARIANTES

PIQUES COCKTAIL À L'ANGLAISE
Cheddar, morceaux d'ananas, grains de raisin et céleri.

BROCHETTES ITALIENNES
Mini boules de mozzarella, tomates cerises, feuilles de basilic et olives.

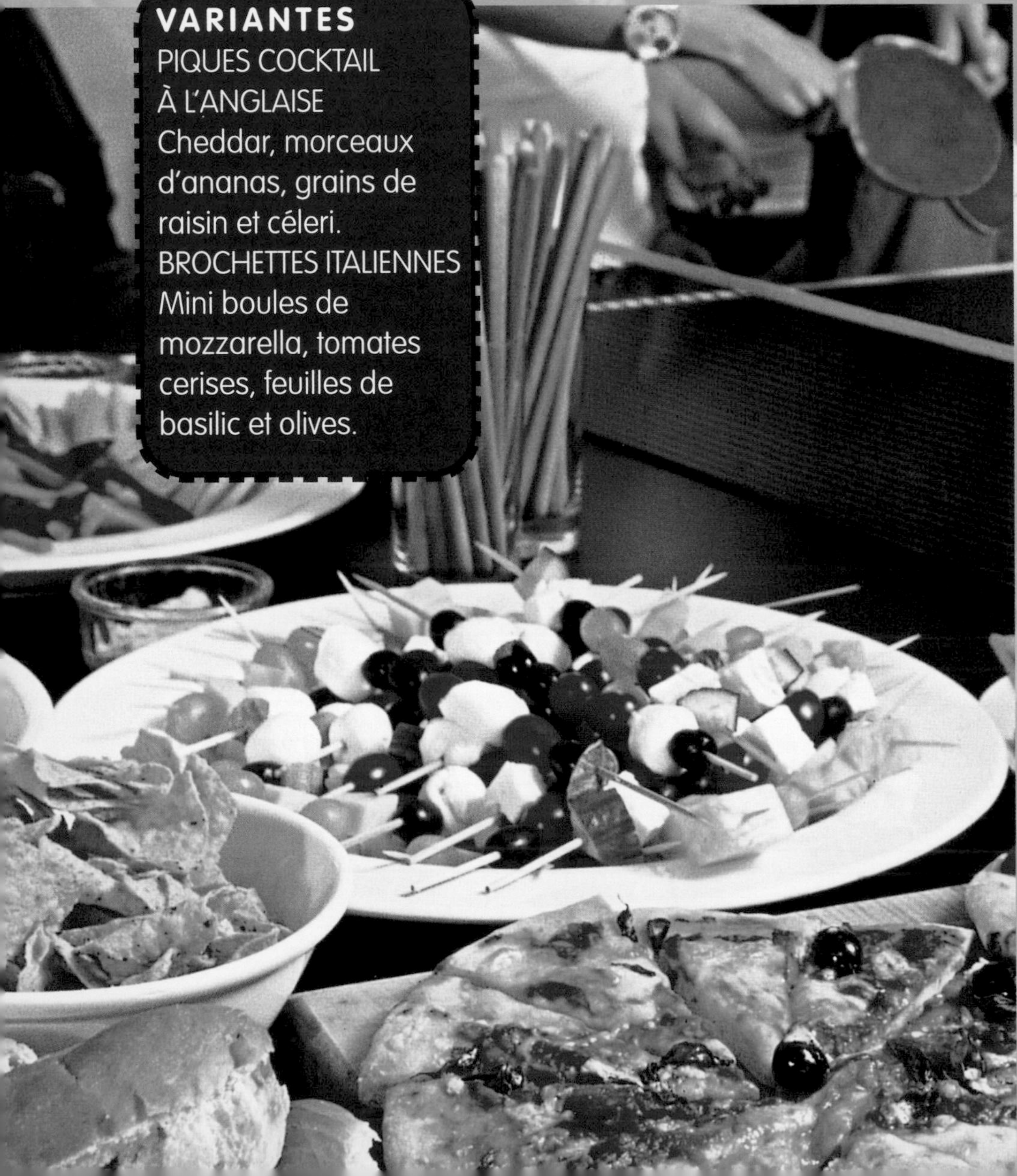

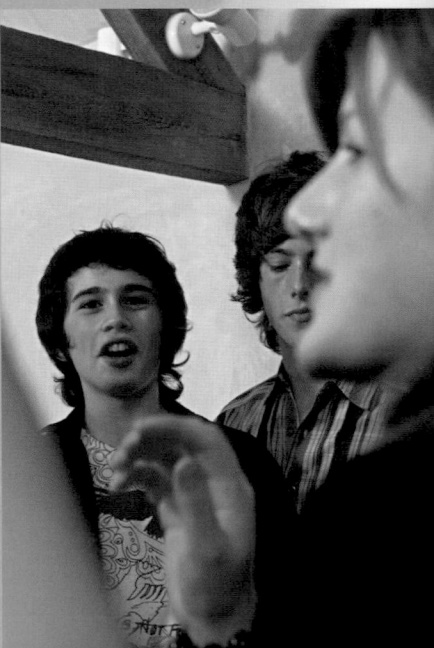

Crostinis

Si tu veux impressionner quelqu'un, sers donc une assiette de ces canapés italiens étonnants et super croustillants !

Préparation

1. Préchauffe le four à 220 °C (thermostat 7).
2. Coupe la flûte en fines tranches.
3. Badigeonne d'un peu d'huile d'olive chaque face du pain. Frotte une face avec la gousse d'ail. Saupoudre d'un peu de sel de mer.
4. Fais cuire 5 à 10 minutes les tranches de pain sur une plaque de four en vérifiant qu'elles ne brûlent pas.
5. Laisse refroidir. Tartine avec les garnitures… tu peux en imaginer d'autres ! Ne surcharge pas trop, ou tes crostinis se ramolliront.

Crudités

À déguster nature ou trempées dans de l'hoummos, de la mayonnaise ou du guacamole.

Préparation

Lave les légumes, coupe-les en bâtonnets, mets-les sur une assiette.

Pour 20 crostinis

Ingrédients

- 1 flûte de pain
- Huile d'olive
- Sel de mer
- Gousse d'ail pour frotter le pain

GARNITURES
- Hoummos (page 78)
- Pâté de foie de volaille (page 93)
- Fromage de chèvre et pesto
- Oignons caramélisés
- Pâté de truite fumée
- Mozzarella et tomates

Ingrédients

- Carottes, céleri, poivron rouge, concombre, radis

Mini meringues

Tout le monde adore ! Fais-les petites et empile-les. Mets-en quelques-unes de côté pour toi !

Préparation

1. Prépare ton mélange pour les meringues (p. 122).
2. Préchauffe le four à 140 °C (thermostat 4/5).
À l'ÉTAPE 5, prépare les plaques du four ; recouvre-les de cuillères à café du mélange ; tu peux aussi utiliser une poche à douille munie d'un grand embout et constituer les mini meringues. Fais-les cuire 1 heure environ, puis laisse-les refroidir et conserve-les dans une boîte métallique si tu les prépares quelques jours à l'avance.
3. Mange-les telles quelles ou colle deux moitiés l'une contre l'autre, et fourre tes meringues de crème fouettée, de crème et de crème anglaise. Petites, mais succulentes !…

Pour 20 parts
Ingrédients

● 1 portion de meringue (page 122)
● 600 ml de crème fraîche épaisse

Fruits au chocolat
Ils ont l'air affreusement bons, et ils le sont !

Préparation

1. Rince les fruits (retire la feuille qui couvre les lanternes chinoises). Essuie-les bien pour qu'ils adhèrent un maximum de chocolat.
2. Tapisse une plaque de four de papier sulfurisé.
3. Casse le chocolat dans un saladier résistant à la chaleur, et pose-le sur une casserole d'eau frémissante. Surveille le chocolat pendant qu'il fond. Retire du feu.
4. Attrape les fruits par la queue. Plonge-les en entier ou à moitié dans le chocolat. Laisse reposer sur les plaques au frais (pas au frigo).

Pour 20 parts
Ingrédients

● 20 morceaux de fruits avec leurs queues, tels que fraises, cerises et lanternes chinoises
● 200 g de chocolat à croquer, au lait ou blanc, ou un mélange des trois

Citrons givrés
Super rafraîchissant quand il fait chaud !

Préparation

1. Lave les citrons. Coupe le fond de chacun pour qu'il ne roule pas (ne coupe pas dans la chair). Coupe les citrons aux deux tiers. Avec un petit couteau pointu ou un couteau à pamplemousse et

Pour 10 parts
Ingrédients

● 10 citrons lavés
● 2 kg de sorbet au citron
● Feuilles de menthe

ET POURQUOI PAS ?
Mets le jus de citron dans des bacs à glaçons pour plus tard.

une cuillère à café, évide-les et exprime tout le jus dans un saladier (filtre-le et mets-le de côté pour la préparation d'un autre plat).

2. Mets les écorces au congélateur jusqu'à ce qu'elles soient dures comme du bois (pendant 24 heures).

3. Laisse ramollir un peu le sorbet au citron, puis remplis-en les écorces avant qu'il ne fonde. Décore le dessus des citrons avec la menthe, puis remets-les au congélateur.

Cocktail d'abricots secs

Boisson ou encas ? En fait, c'est une sucette. Régale-toi !

Préparation

1. Enfonce une pique cocktail dans chaque abricot sec.

2. Remplis 10 verres de jus de fruits aux deux tiers.

3. Mets les abricots dans les verres. Génial !

Pour 10 parts

Ingrédients

- **10 abricots secs**
- **Jus de pomme ou autre jus de fruits**

Survivre aux examens

QUAND J'ÉTAIS PETIT, mes frères et sœurs me faisaient peur avec les examens. Ils disaient que je détesterais ça. Et tu sais quoi? Ils avaient raison! Aujourd'hui, je suis là, les jambes en coton et le regard fixe, je voudrais être le chat, n'importe qui sauf moi, cloué dans ma chambre à réviser. Mais j'ai pris à mes frères et sœurs des trucs pour survivre aux examens… Commencer à réviser tôt. Se faire un programme de révisions. Laisser tomber Motorhead pour Mozart. Éteindre son portable. Ne pas appeler les copains pour comparer les notes de cours: ils ont le don de te flanquer la trouille! Faire une pause toutes les 40 minutes. Faire un jogging, ou des exercices de relaxation (ma mère en apprend aux comédiens qui ont le trac). Et aller à la cuisine! Tout ce que tu manges et bois influe sur ton cerveau et ta mémoire, ton degré de créativité et de décontraction, ta rapidité de pensée, ta vision des choses. Alors, sois stratégique. Pense à ce dont tu as besoin pour les examens de la journée, sans risquer de tomber d'épuisement sur la table. **Mes 10 trucs prioritaires pour survivre en période d'examens** te permettront de ne pas paniquer et de multiplier tes chances de réussite. Alors, **bonne chance!** (Moi, j'en ai besoin!)

Truc n° 1

Bois des TONNES d'eau tout au long de la journée

INDISPENSABLE ! L'eau te permet de garder ton calme et de penser vite… essentiel quand on révise et qu'on est sous pression ! Bois au moins 1, 75 l (8 verres) d'eau par jour, sinon la déshydratation te guette : la réflexion est ralentie, on se sent incapable de quoi que ce soit ; il est un plus difficile d'apprendre et de se concentrer. On change constamment d'humeur, on a mal à la tête, on se sent épuisé… Bref, c'est pas terrible ! La recherche a montré qu'en augmentant sa consommation d'eau pendant deux semaines seulement, on améliorait ses résultats el sa concentration. Repère les choses qui te déshydratent : les aliments pré-conditionnés et salés. Les chips. Les boissons contenant de la caféine. Le stress fait transpirer. Quand tu as fait du sport, bois plus d'eau ; au lycée, bois-en tout au long de la journée (glisse une bouteille dans ton sac) ; chez toi aussi, quand tu révises. Demande à pouvoir emporter une bouteille d'eau dans la salle d'examen. Si tu n'as pas le droit, prend du raisin ; pour l'énergie… et l'hydratation !

Truc n° 2

Consomme moins de caféine

La caféine (on la trouve dans le café, le thé, le coca-cola, les boissons énergétiques) est extra quand on doit réviser dans l'urgence, tard le soir… de temps en temps seulement. En excès, elle brouille l'esprit. On devient incapable de se concentrer. Elle accélère les battements cardiaques, empêche de dormir ; elle te rendra deux fois plus nerveux avant même le début des examens. Alors, pas plus de quatre tasses de café par jour et, après 18 h, prends du déca.

Truc n° 3

Ne saute pas le petit déjeuner

Commence la journée en mangeant bien. Tu travailleras mieux et tu seras beaucoup plus efficace. Le chapitre des petits déjeuners te donnera des idées. Inutile de prendre un petit déjeuner complet long à préparer, il faut juste qu'il soit bien équilibré.

Truc n° 4

Fais le plein de vitamines

Prépare-toi des jus de fruits, des milk-shakes aux fruits et du thé relaxant. Quand on est stressé, on a plus de risques de tomber malade. Les aliments contenant des vitamines qui dynamisent le système immunitaire t'aideront à tenir le coup ! Voici quelques idées de boissons pour mieux résister aux rhumes et calmer tes nerfs. Elles sont faciles et rapides à préparer. Prends-en une ou deux par jour.

Jus d'orange frais

Prépare toi-même ton jus d'orange !

POUR 1 PERSONNE. Ingrédients :
- **4 oranges**
- **Eau**
- **Glace (examens de fin d'année)**

Préparation :

1. Coupe les oranges en deux. Presse-les avec un presse-agrumes.

2. Ajoute l'eau à ton jus, et la glace (si tu en mets). Boire ton jus avec une paille, ça empêche l'acidité de toucher tes dents.

VARIANTES : JUS AUX DEUX FRUITS : Remplace deux oranges par un pamplemousse rose.

ORANGE FRAPPÉE : Mixe des glaçons, verse-les dans ton jus.

Jus de pommes et abricots

Les abricots sont bourrés de fer et permettent de se concentrer plus longtemps… ça peut servir ! Les astronautes en mangent pour accélérer leur pensée. Voilà qui fait voir les examens autrement, non ?

POUR 1 PERSONNE. Ingrédients :
- **2 abricots mûrs**
- **1 pêche mûre**
- **2 pommes ou jus de pomme tout prêt**

Préparation :

1. Coupe et dénoyaute les abricots et la pêche.

2. Passe les pommes à la centrifugeuse, puis mélange au jus de pomme les abricots et la pêche. Allonge ce mélange d'eau plate ou gazeuse.

Infusion relaxante
au gingembre et au citron

Ma sœur Polly s'en préparait en période
d'examens au lycée et à la fac de droit.
Le citron contient de la vitamine C, qui
combat les effets du froid et renforce ceux
du fer qu'on trouve dans les aliments,
et t'aide à penser plus efficacement.
Le gingembre te fera du bien si tu as envie
de vomir.

POUR 1 PERSONNE. Ingrédients :
- **1 morceau de gingembre frais de 5 cm**
- **Le jus de 1 citron**
- **Miel à volonté ou une pincée de sucre**
- **Eau chaude**

Préparation :

1. Pèle et coupe le gingembre, puis mets-
le dans un mug.

2. Verse dessus l'eau bouillante et laisse-
le infuser 1 ou 2 minutes.

3. Presse le citron et ajoute son jus, le miel ou
le sucre au choix. Remue, sirote lentement.

Milk-shake glacé banane, mûre
et framboise (spécial révisions)

Essaie-le quand tu te sens trop tendu pour
manger ou que tu as besoin de réconfort.
La banane te permet de tenir le coup,
et c'est un super anti-stress. Les mûres
et les framboises stimulent ton cerveau.
Quant à la glace… c'est une excuse pour
manger de la glace !

POUR 1 PERSONNE. Ingrédients :
- **1 poignée de framboises**
- **1 poignée de mûres**
- **1 banane**
- **2 boules de glace à la vanille**
- **100 ml de lait**

Préparation :
Passe tous les ingrédients au mixeur ou
mélange-les à la main.

Jus de carottes, pommes
et gingembre

Ce jus est super sain. Le gingembre est un
très bon anti-nauséeux. Pour le préparer,
il te faut une centrifugeuse électrique.

POUR 1 PERSONNE. Ingrédients :
- **4 carottes**
- **3 pommes**
- **1 morceau de gingembre frais de 1,5 cm**

Préparation :

1. Lave les carottes et les pommes. Coupe
les pommes en fonction de la taille de ta
centrifugeuse. Pèle le gingembre, et place
la cruche sous le bec de la centrifugeuse.

2. Passe les carottes, les pommes
et le gingembre à la centrifugeuse.

3. Bois immédiatement.

As-tu déjà entendu parler du tryptophane ? Le trypto… quoi ? On le trouve dans le poulet, le canard, le poisson, le fromage, les œufs, ainsi que dans le lait, les haricots, les petits pois, le soja, les noix, l'avocat et l'ananas. Il loge dans une protéine qui régit la sérotonine – une substance relaxante contenue dans le cerveau et favorisant une concentration optimale.

… et ton cerveau !

Voici des aliments qui contiennent du fer : jaunes d'œufs, haricots blancs à la sauce tomate, légumes secs et légumes verts, abricots, dinde et rosbif. Si tu manques de fer (c'est le cas de la moitié des filles), la quantité d'oxygène qui accède à ton cerveau est moins importante, et il ne fonctionne pas aussi bien qu'il le pourrait. Facile d'y remédier ; trouve des recettes qui incluent ces ingrédients et précipite-toi à la cuisine ! En voici une.

Riz frit aux œufs

Tout ce qui se mange avec des baguettes me rend heureux ! Ce plat-là regorge de choses excellentes pour le cerveau (le riz est bourré de vitamine B, qui renforce les neurones) et il est délicieux. Et très facile à faire ! Cuisine-le quand ton cerveau ne peut plus rien absorber et que tu ne veux pas manger en famille !

POUR 1 PERSONNE. Ingrédients :
- **50 g de riz long grain**
- **200 ml d'eau**
- **25 g de petits pois (frais ou surgelés)**
- **2 œufs**
- **Sel**
- **1 ciboule hachée**
- **4,5 cuillères à café d'huile de tournesol**

NB : Une fois que le riz a cuit et refroidi, mets-le immédiatement au réfrigérateur. Il ne se conservera que 2 jours.

Préparation :

1. Fais cuire le riz ou retire-le du réfrigérateur. Cuis les petits pois.

2. Bats les œufs avec une pincée de sel. Ajoute un peu de ciboule hachée.

3. Fais chauffer un wok, puis ajoute de l'huile.

4. Baisse le feu. Ajoute les œufs et brouille-les délicatement ; ajoute le riz avant qu'ils ne figent.

5. Augmente le feu. Casse le mélange avec une fourchette.

6. Ajoute les petits pois et la ciboule, et laisse cuire une minute encore. Sale.

Truc n° 6 — Mange des oméga 3

Les accélérateurs de neurones par excellence. Ils se trouvent dans les poissons gras comme le saumon, le thon frais, le maquereau, les sardines et les anchois. Ils favorisent une pensée rapide et incisive et ont un effet relaxant.

Bagel au saumon fumé

Un de mes plats préférés. Un classique !
Il faut avoir du saumon fumé au frais. Fais décongeler un bagel ou un petit pain rond. À déguster avec une rondelle de tomate et des feuilles de roquette.

Ingrédients :
- 1 bagel
- Fromage à tartiner
- 2 tranches de saumon fumé
- Avocat (facultatif)
- Roquette (facultatif)
- Jus de citron
- Poivre noir

Préparation : Coupe le petit pain en deux et tartine-le de fromage. Recouvre avec le saumon, les tranches d'avocat et la roquette. Arrose de jus de citron, et poivre bien. Miam…!

Truc n° 7 — Choisis de bons encas

Quand tu es complètement stressé, un encas peut faire l'affaire. Tu vas avoir envie de manger de petites quantités à n'importe quel moment de la journée. Alors, choisis des aliments qui vont te permettre de tenir le coup et travailler pour toi pendant que tu te reposes un peu : des choses à tremper dans une sauce et des crudités. Un sandwich savoureux. Du pain aux fruits grillé et du beurre de cacahuètes. Il m'arrive de me préparer une assiette de petites choses comme des noisettes, des dattes, des graines de tournesol et de citrouille, des raisins secs, des morceaux de fruits et de légumes frais et des quartiers d'orange saupoudrés de cannelle. Ou alors, je vais droit à la cuisine pour me préparer un encas et prendre une pause : caresser le chat, regarder un passage d'un film qui me fait rire.

Muffin à la banane, au fromage et au miel

Un mélange gagnant ! Sucré et délicieux.

Ingrédients :
- 1 muffin ou un petit pain
- Miel
- Ricotta ou cottage cheese
- 1 banane

Préparation :

1. Coupe ton muffin ou ton petit pain en deux et fais-le griller.

2. Arrose-le d'un filet de miel. Ajoute dessus une bonne cuillère de fromage et des rondelles de banane.

VARIANTE :

MUFFIN À LA BANANE ET CANNELLE
À L'ÉTAPE 2, travaille le beurre en crème avec du miel et de la cannelle en poudre. Recouvre de rondelles de banane.

Truc n° 8 Dépense-toi

Bouge. L'exercice physique est le meilleur anti-stress du monde. Tout est bon: les pompes; le tour du pâté de maison; le punching-ball.

Mets de la musique et fais quelques exercices dans ta chambre. Le simple fait de se lever pour s'étirer est bon. Faire quelques pas nettoie le cerveau, et on se sent mieux. Si tu es assis à ton bureau et que tu as très froid, soulève tes épaules jusqu'à tes oreilles, puis relâche-les complètement – répète ce mouvement trois fois en expirant à chaque fois.

Apprends à respirer profondément

Essaie, ça marche! Ma mère l'enseigne à des comédiens et à des présentateurs télé très anxieux, et à des gens super stressés. Respire profondément quand tu es en train de réviser – ça t'aidera à mieux penser. Sers-t'en en cas d'urgence pour franchir le cap des examens oraux et ne pas paniquer. Cet exercice envoie des tonnes d'oxygène dans ton cerveau et fait baisser ton taux d'adrénaline. Il t'empêche ainsi d'avoir des blancs… la dernière chose dont on a besoin pour remplir sa copie!

Debout devant une grande glace, pose les mains sur tes hanches. Puis soulève-les jusqu'au bas de ta cage thoracique. Exerce une légère pression sur tes côtes. Inspire profondément et silencieusement par le nez; en même temps, repousse tes mains avec tes côtes de façon à ce que la cage thoracique prenne de l'ampleur des deux côtés – elle ne doit pas se soulever. Pousse ce mouvement autant que tu peux, puis laisse tes côtes revenir à leur position initiale. Tu peux te sentir un peu étourdi; si nécessaire, arrête l'exercice. Expire régulièrement par la bouche en comptant jusqu'à 15 dans ta tête. Répète trois ou quatre fois. Tu devrais maintenant te sentir vraiment calme et détendu… Une fois que tu maîtrises la technique, fais cet exercice sans placer tes mains sous ta cage thoracique. Fais-le pendant un examen ou quand tu attends de passer un oral, mais aussi au lit, pour t'aider à t'endormir.

Truc n° 9 Dors!

Dors beaucoup. C'est l'anti-stress par excellence. Mais difficile de trouver le sommeil quand on est débordé ou que l'examen a lieu le lendemain! Alors, si tu n'y arrives pas en comptant les moutons, essaie de respirer. Allongé dans ton lit, inspire profondément en allant chercher ton souffle tout au fond de ton estomac. Imagine qu'il se remplit comme un ballon. Puis laisse l'air ressortir. Répète plusieurs fois cet exercice pour te vider la tête et te calmer. Vois si tu ne prends pas trop de caféine. Pour te détendre le soir, mange – des pâtes, par exemple. Avant d'aller au lit, prépare-toi une boisson lactée.

Chocolat chaud
spécial veille d'examens

Offre-toi un petit extra la veille d'un examen !

Ingrédients :
- Un grand mug de lait ou de lait et d'eau
- 50 g de chocolat noir à croquer

Préparation :

1. Fais chauffer à feu doux l'eau et le lait ou le lait tout seul dans une casserole.

2. Ajoute le chocolat cassé en morceaux.

3. Remue 3 ou 4 min. Détends-toi.

4. Fais mousser le chocolat avec un fouet. Verse-le dans le mug.

5. Couche toi et bois ; bonne nuit !

Truc n° 10

Mange intelligent les jours d'examens

Mets toutes les chances de ton côté. N'essaie pas de manger ou de boire des choses que tu ne connais pas. N'abuse pas sur le café, et emporte de l'eau dans les salles d'examens.

EXAMENS DU MATIN : Prends un petit déjeuner : toast avec des haricots blancs à la sauce tomate, toast avec des œufs, des fruits, un yaourt ou un milk-shake à la banane si tu ne peux rien avaler de solide.

EXAMENS DE L'APRÈS-MIDI : ne prends rien de lourd, ça te ferait dormir. Mange une soupe légère avec un morceau de pain et un fruit. Ou un sandwich garni de viande maigre ou de légumes légers. Pour les oraux : mange vraiment léger. Pas de café, ça assèche la gorge et rend nerveux. Pas de laitage non plus, ça obstrue la gorge. Bois quelques petites gorgées d'eau avant d'entrer dans la salle, puis assieds-toi et fais quelques exercices faciles de respiration.

Indispensables petits « plus »

Apprends à maîtriser quelques techniques de base pour préparer des plats savoureux. Ces petits «plus» font toute la différence. Fais toi-même ton pain, ta mayonnaise, tes assaisonnements, tes bouillons et autres aliments de base. Prends goût aux saveurs authentiques. Au travail !

Pas de salade sans assaisonnement

Avec ces sauces, même une petite laitue tristounette se transformera en reine des salades. Essaie-les, vois celles que tu préfères. Le tout est d'adapter la sauce au goût et à la texture de la salade.

Vinaigrette de tous les jours

Classique, mais délicieuse. Mélange tous les ingrédients dans un saladier, ou mets-les dans un bocal et secoue.
Ingrédients :
- 1 c. à café de moutarde
- 1 c. à café de sucre
- 1 gousse d'ail écrasée (facultatif)
- 2 c. à soupe de vinaigre de vin (rouge, blanc ou Xérès)
- 6 c. à soupe d'huile d'olive
- 1/2 échalote hachée (facultatif)
- Persil haché (facultatif)
- Sel et poivre noir

Préparation :
1. Verse la moutarde, le sucre, le sel, le poivre, l'ail et le vinaigre dans un bocal.
2. Visse bien le couvercle et secoue jusqu'à ce que le mélange soit épais et homogène.
3. Ajoute l'huile et secoue. Ajoute l'échalote et le persil.

Super sauce au miel et à la moutarde

Sens-toi libre de modifier les ingrédients de base des sauces. Pour celle-ci, tu peux prendre du vinaigre de cidre ou de l'huile de noix (excellente pour ta santé).
Ingrédients :
- 2 c. à café de moutarde à l'ancienne
- 1 c. à café de miel
- 1 gousse d'ail écrasée
- 2 c. à soupe de jus de citron ou de vinaigre de vin blanc
- 6 c. à soupe d'huile d'olive
- Sel et poivre noir

Préparation :
1. Verse la moutarde, le miel, le sel, le poivre, l'ail, le citron ou le vinaigre dans un bocal. Ferme-le et secoue-le.
2. Ajoute l'huile et secoue.

Sauce italienne

Verse-la sur la salade; touille avec tes doigts pour bien recouvrir les feuilles de sauce.
Ingrédients :
- 1 gousse d'ail   • Sel
- 1 c. à café de vinaigre balsamique
- 5 c. à café de vinaigre de Xérès
- 2 c. à soupe d'huile d'olive

Préparation :
1. Réduis l'ail en purée avec le plat d'un couteau sur une planche, ou dans un mortier avec un pilon. Sale.
2. Dans un saladier ou dans le mortier, ajoute les vinaigres et une pincée de sucre.
3. Verse un filet d'huile sur la salade. Ajoute le mélange à base d'ail et de vinaigre.

Sauce express maison

Apporte sur la table ton huile d'olive et ton vinaigre de vin. Verse un filet d'huile, puis un peu de vinaigre.

Tu es au régime ? Mange du yaourt !

Passe au mixeur un yaourt nature allégé, des herbes, de l'ail, du sel et du poivre.

Sauce à l'orientale

Une sauce qui a du punch ! N'hésite pas à t'en servir, et pas seulement pour des plats orientaux.

Ingrédients :
- 75 ml d'huile de tournesol
- 1 c. à café d'huile de sésame
- 4,5 c. à café de vinaigre de vin
- 1 c. à soupe de sauce soja
- 1 petite échalote hachée
- 2,5 cm de gingembre frais râpé ou une pincée de gingembre moulu

Préparation :
Mélange tous les ingrédients à l'aide d'un fouet.

Mayonnaise maison

C'est de la chimie ! Fais-la nature, puis choisis tes options !

Ingrédients :
- 2 jaunes d'œufs
- Sel, moutarde en poudre et sucre en poudre - 1/2 c. à café de chaque
- 250 ml d'huile de tournesol ou de noix
- 50 ml d'huile d'olive
- 2 c. à soupe de vinaigre de vin blanc ou de jus de citron
- 1 c. à soupe d'eau chaude

Préparation :
1. Mets les jaunes d'œufs dans un saladier et ajoute le sel, la moutarde et le sucre. Bats tous les ingrédients avec un fouet. Pose le saladier sur un torchon pour éviter qu'il glisse.
2. Mélange les huiles dans une cruche. Verse petit à petit ce mélange sur les œufs sans cesser de battre. Commence tout doucement. Le mélange va se mettre à épaissir.
3. Quand tu as versé la moitié de l'huile, arrête-toi. Ajoute en remuant 1 cuillère à soupe de vinaigre ou de jus de citron.
4. Verse lentement le reste de l'huile et continue à battre. Ajoute le reste du vinaigre ou le citron et l'eau.
5. Goûte, et corrige l'assaisonnement. La mayo se garde une semaine au frigo, dans un récipient hermétique.

VARIANTES : MAYO À L'AIL (AÏOLI). Ajoute 2 gousses d'ail écrasées à la fin.
MAYO AU CURRY. Ajoute 2 cuillères à café de bon curry, 1 gousse d'ail écrasée et un peu de purée de tomates.
MAYO À LA JAPONAISE. Ajoute du wasabi, selon ton goût.

Pesto

Cette sauce extra est multi-usages : pâtes, riz, sandwiches, tartes, légumes grillés ou au four, ou poulet !

Ingrédients :
- 100 g de feuilles de basilic frais
- 150 ml d'huile d'olive
- 25 g de pignons
- 2 grosses gousses d'ail
- 50 g de parmesan râpé

Préparation :
1. Passe tous les ingrédients au mixeur, sauf le fromage.
2. Verse ce mélange dans un saladier, et incorpore le parmesan. Couvre ; mets au réfrigérateur.

Pain aillé : un classique !

Tout le monde l'adore. Super avec les soupes, les salades et les pâtes. Apportes-en quand tu es invité à une fête ou à un barbecue.

Ingrédients :
- **1 baguette de pain**
- **Beaucoup de beurre un peu ramolli**
- **2 ou 3 gousses d'ail écrasées**
- **Herbes fraîches hachées (facultatif)**
- **Jus de citron frais (facultatif)**

Préparation :
1. Préchauffe le four à 200 °C (th. 7).
2. Mets le beurre et l'ail dans un saladier. Bats-les en crème. Ajoute les herbes et/ou le citron, si tu en mets.
3. Coupe la baguette en tranches en diagonale, sans complètement détacher les tranches. Tartine-les de beurre.
4. Enveloppe le pain de papier alu, et fais cuire 25 min sur une plaque du four.

Chutney aux pommes

Conserve-le dans des bocaux recyclés. Et si ça te dit, fais pousser ton propre pommier !

Pour 4 pots de 900 g
Ingrédients :
- **2 kg de pommes à cuire**
- **600 ml de vinaigre de malt**
- **4 gousses d'ail**
- **675 g de vergeoise**
- **125 g de dattes dénoyautées et hachées**
- **3 c. à café de gingembre moulu**
- **1 c. à café d'un mélange d'épices moulues**
- **1 grosse pincée de poivre de Cayenne**
- **1 c. à café de sel**

Préparation :
1. Pèle les pommes ; enlève le trognon et coupe-les en morceaux. Mets-les dans une grande casserole à fond épais.
2. Ajoute la moitié du vinaigre et l'ail. Fais chauffer doucement en remuant avec une cuillère en bois pour obtenir un mélange épais.
3. Ajoute le reste du vinaigre, la vergeoise, les dattes, le gingembre, les épices et le sel. Fais cuire 30 min en remuant pour obtenir une mixture avec de gros morceaux de fruits.
4. Lave les bocaux, fais-les sécher. Mets-les sur une plaque dans ton four à 140 °C (th. 4-5).
5. Verse le chutney dans les pots. Pose directement sur le

chutney un disque en cire. Couvre chaque pot de film transparent. Ferme le pot avec un élastique.
6. Essuie les bocaux tièdes, et étiquette-les quand ils seront froids. Attends 2 mois avant de consommer.

Bouillon de poulet

Ça, c'est de l'authentique ! Utilise les restes d'un poulet rôti. Ce bouillon constitue la base essentielle des soupes, ragoûts, risottos, sauces, préparations en cocotte et sauces au jus de viande.

Ingrédients :
- 1 carcasse de poulet rôti
- 2 oignons coupés en quartiers
- 1 branche de céleri coupée en gros morceaux
- 1 carotte coupée en gros morceaux
- 1 poireau coupé en gros morceaux (facultatif)
- Quelques brins d'herbes fraîches, noués avec un fil de coton (facultatif)
- Gousses d'ail pelées
- 3,4 litres d'eau

Préparation :

1. Mets la carcasse de poulet dans une grande casserole avec gelée, jus de viande et viande.

2. Ajoute les oignons, la carotte, le céleri, le poireau, les herbes et l'ail. Recouvre d'eau. La casserole ne doit pas être trop remplie.

3. Porte à ébullition et enlève l'écume. Fais mijoter 2 à 3 heures à feu doux.

4. Filtre le bouillon avec une passoire au-dessus d'un grand saladier. Laisse refroidir. Recouvre de film transparent, et place au frigo ou au congélateur.

Bouillon de légumes

Mets des tonnes de ce bouillon dans tes ragoûts et soupes de légumes. Utilise tous les légumes sauf les pommes de terre, les navets et la betterave.

Ingrédients :
- 2 gros oignons
- 1 branche de céleri
- 2 poireaux
- 3 carottes
- Grains de poivre noir
- Brins de persil frais
- 2,3 litres d'eau
- Le jus de 1 citron
- 2 gousses d'ail
- 2 c. à café de sel

Préparation :

1. Lave et coupe tous les légumes. Mets-les dans une grande casserole avec les autres ingrédients.

2. Porte à ébullition. Couvre à moitié et laisse mijoter 1 à 2 heures. Tamise finement.

Pâte brisée

Utilise cette pâte brisée pour préparer tous tes gâteaux, toutes tes tartes salées et sucrées et tes quiches. Utilise des ingrédients froids et pétris doucement.

Pour un moule à tarte de 23 cm ou 4 petits moules à tarte

Ingrédients :
- 200 g de farine (sans levure)
- 100 g de beurre froid
- 2 ou 3 c. à soupe d'eau très froide

Préparation :

1. Tamise la farine et le sel dans un grand saladier. Coupe le beurre en petits morceaux dans la farine.

2. Avec des mains froides, incorpore délicatement le beurre à la farine jusqu'à ce que le mélange ressemble à de fines miettes de pain.

3. Ajoute 2 cuillères à soupe d'eau froide. Mélange à l'aide d'une fourchette jusqu'à ce que la pâte se constitue. Pétris rapidement et délicatement la pâte à la main. Ajoute le reste de l'eau si nécessaire. Enveloppe ta pâte dans du film transparent et mets au frigo 20 min, puis remets à température ambiante.

4. Pose la pâte sur une planche légèrement farinée et étale-la avec un rouleau fariné.

Le pain à la mélasse de ma mère

Ce pain permet de faire de super toasts. Il se marie avec tout et transforme un plat quelconque en véritable régal.

Pour 2 miches
Ingrédients :
- **2 cuillères à soupe de mélasse noire**
- **Jusqu'à 900 ml d'eau tiède**
- **50 g de levure fraîche**
- **450 g de farine panifiable blanche**
- **450 g de farine complète**
- **1 cuillère à café de sel**

Préparation :
1. Préchauffe le four à 200 °C (thermostat 7). Enduis de matière grasse deux moules à pain de 900 g.
2. Mélange la mélasse noire à 150 ml d'eau. Incorpore-la à la levure en l'émiettant, et recouvre-la d'un torchon. Laisse reposer 10 minutes dans un endroit tiède jusqu'à ce que le mélange soit mousseux. Mélange bien avec le reste de l'eau.
3. Verse dans un grand saladier les farines et le sel.
4. Ajoute progressivement le mélange liquide à la farine et remue avec une cuillère en bois jusqu'à ce que la pâte soit bien homogène mais encore un peu collante – ajoute un peu d'eau tiède si nécessaire.
5. Répartis le mélange dans les moules. Recouvre le dessus de chaque moule d'un sac en plastique, et laisse la pâte lever 30 à 40 minutes dans un endroit tiède. Elle doit déborder très légèrement du moule.

6. Fais cuire 30 minutes. Pour vérifier si le pain est cuit, retourne-le et frappe sur le dessous ; il doit sonner creux. Si la cuisson n'est pas tout à fait terminée, remets-le au four.

Pain blanc

Miam !… Procure-toi la farine fraîche au rayon boulangerie de ton supermarché.

Pour 1 pain de 900 g ou 2 miches de 450 g
Ingrédients :
- **25 g de levure fraîche**
- **1 cuillère à café de sucre**
- **450 ml d'eau tiède**
- **675 g de farine panifiable blanche**
- **2 cuillères à café de sel**
- **10 g de beurre**

Préparation :
1. Travaille la levure fraîche en crème avec le sucre ; ajoute 1 cuillère à soupe d'eau tiède et couvre. Laisse écumer 10 minutes.
2. Verse la farine et le sel dans un grand saladier tiède. Incorpore le beurre.

3. Ajoute le mélange de levure fraîche et le reste d'eau tiède. Mélange à la main ou avec une cuillère en bois pour obtenir une pâte ferme.

4. Pose la pâte sur une surface légèrement farinée. Pétris bien pendant 8 à 10 min.

5. Remets-la dans le saladier. Recouvre d'un sac en plastique et laisse reposer 1 à 2 heures dans un endroit tiède jusqu'à ce que la pâte ait doublé de volume.

6. Enduis généreusement de matière grasse les deux moules à pain. Préchauffe le four à 230 °C (th. 8).

7. Replace la pâte sur la surface farinée. Pétris 2 min. Partage la pâte en deux miches ou laisse-la entière. Mets-la dans les moules. Couvre de nouveau, et laisse lever dans un endroit tiède jusqu'à ce que la pâte déborde un peu du moule.

8. Pour une miche de 450 g, laisse cuire la pâte environ 30 min; pour une miche de 950 g, 45 min environ. Pour voir si la miche est cuite, retourne-la et tape sur le dessous; ça doit sonner creux. S'il faut la faire cuire plus longtemps, retourne-la sur la plaque du four sans moule; fais-la refroidir sur une grille.

Béchamel classique

Cette sauce joue un rôle essentiel dans les plats les plus savoureux: gratins de choux-fleurs, tourtes, lasagnes.

Ingrédients:
- **600 ml de lait**
- **50 g de farine (sans levure)**
- **50 g de beurre**
- **Sel et poivre noir**

Préparation:

1. Prépare un roux: fais fondre doucement le beurre dans une casserole; ajoute la farine; remue avec une cuillère en bois. Fais cuire 2 min à feu doux en remuant pour que ça ne brûle pas.

2. Retire du feu. Ajoute lentement le lait en battant pour empêcher la formation de grumeaux – moi, j'utilise un fouet ballon.

3. Remets la casserole à chauffer et augmente le feu. Porte à ébullition et fais cuire 2 min jusqu'à ce que la sauce s'épaississe, en battant au fur et à mesure. La sauce est maintenant prête à accompagner le plat de ton choix.

Super truc

Recouvre de papier sulfurisé la surface de ta béchamel ou fais fondre dessus un peu de beurre pour empêcher la formation d'une peau à la surface si tu ne la consommes pas tout de suite. Incorpore le beurre en remuant avant de servir.

Coleslaw

Cette salade est excellente toute l'année, mille fois meilleure que les salades préparées en vente dans les grandes surfaces.

Ingrédients:
- **Gros morceau de chou blanc émincé**
- **1 grosse carotte grossièrement râpée**
- **1 petit oignon émincé**
- **Mayonnaise**
- **Persil haché (facultatif)**
- **Le zeste râpé de 1 orange (facultatif)**
- **Dattes dénoyautées et hachées (facultatif)**
- **Sel et poivre noir**

Préparation:

Mélange le chou, la carotte et l'oignon. Ajoute la mayonnaise, le persil, le zeste d'orange, les dattes (si tu utilises tous ces ingrédients) et l'assaisonnement.

VARIANTES:

COLESLAW ROUGE: Remplace le chou blanc par du chou rouge.

CHOU VINAIGRETTE: Remplace la mayonnaise par de la vinaigrette.

Les 20 conseils de Sam

1 Organise-toi. Vérifie les ingrédients, temps de cuisson et ustensiles. Lis la recette en entier.

2 Le beurre brûle rapidement. Ajoute un peu d'huile, et cuis à feu doux.

3 Sale un peu les oignons pour les empêcher de brûler et de devenir amers.

4 Apprends à connaître ton four. Si nécessaire, augmente ou baisse les températures indiquées.

5 Goûte à différentes étapes de la recette pour savoir si tout va bien !

6 S'il te manque un ou deux ingrédients, remplace-les. Sois inventif.

7 Fais chauffer ton four avant de commencer à faire du pain ; c'est bon pour la levure.

8 Ne sale pas trop – une pointe de sel rehausse le goût, trop de sel le tue complètement. N'en mets pas sur la table.

9 Utilise plein d'herbes fraîches – elles rehaussent les goûts et les modifient. Cultives-en !

10 Laisse steaks et rôtis reposer dans un endroit chaud après la cuisson. Ça les rend plus tendres et rehausse le goût.

11 Sois audacieux. Associe des saveurs étranges et brise les règles. C'est parfois en faisant des expériences qu'on obtient le meilleur résultat.

12 Tu prépares un repas entier ? Fais en sorte que tous les plats soient prêts en même temps. Chronomètre-toi ; achète un minuteur.

13 Tu bats des blancs en neige ? Tu n'y arriveras pas bien si tes mains ou tes ustensiles sont gras ou présentent des traces de jaune d'œuf.

14 Prépare toujours plus que nécessaire. Mange les restes le lendemain ou congèle-les ; tu gagneras du temps !

15 Ne panique pas si les choses ne se passent pas bien. Trouve la cause du problème.

16 Choisis bien tes huiles. L'huile d'olive est la meilleure. L'huile de tournesol est bonne aussi. Utilise de l'huile de noix pour les currys, de l'huile de tournesol et de l'huile de sésame pour les sautés.

17 Ne mets tes aliments au four que lorsqu'il est à la bonne température, pas avant.

18 Ne t'attends pas à ce qu'un plat maison ressemble à un plat tout prêt du commerce. Il sera meilleur, moins cher et à chaque fois différent : c'est ce qui en fait l'intérêt.

19 Tu cuisines pour des végétariens, des végétaliens, des allergiques aux produits laitiers ? Utilise du soja et des produits de substitution.

20 Présente tes assiettes comme un artiste. Ça fait partie du jeu !

Attention !

🐭 Porte toujours des gants pour le four.

🐭 Porte un tablier épais pour protéger tes vêtements et ta peau.

🐭 Coupe et émince tes ingrédients sur une surface plane et stable.

🐭 Ne laisse pas de cuillères en métal dans des casseroles contenant des aliments solides ou liquides chauds.

🐭 Ne laisse pas le tranchant d'une lame de couteau tourné vers toi ou à une place où tu risquerais de le heurter.

🐭 La vapeur brûle ; fais attention quand tu ouvres la porte du four et soulèves le couvercle des casseroles.

🐭 Tu t'es brûlé ? Fais couler de l'eau froide pendant 10 minutes sur la zone endolorie.

🐭 Si une casserole prend feu, recouvre-la d'un torchon humide, et appelle à l'aide !

🐭 Essuie ce qui tombe par terre pour ne pas glisser dessus.

🐭 Vérifie que tu as éteint le gaz et l'électricité après avoir cuisiné.

🐭 Ne laisse pas dépasser de queues de casseroles ou de poêles – tu risques de les accrocher.

🐭 Sois propre. Lave-toi les mains. Lave fruits et légumes.

🐭 Décongèle complètement la nourriture avant de l'utiliser.

🐭 Gratte tout ce qui a été en contact avec du poulet cru.

🐭 Conserve toujours séparément viande cuite et viande crue.

Index

Pour notre famille et Purdey

Sam voudrait remercier : Tom Yule (Yuley), Joe Coulter, Nick Howard, Gareth Dowse (Dowsey), Matthew Ford (Fordy), Jess Taylor, Hattie Coulter, Olivia Towers, Hannah Wilson, Hannah Jackson, Margarete Ousley, Riona Naidu et Daniel Hersi. Et merci à : Laura Morris pour avoir cru à ce livre, et à Denise Johnstone-Burt, Louise Jackson et Barry Timms de Walker Books.

Photographies de Trish Gant
Traduction de Christine Rimoldy
P.A.O. : Karine Benoit

ISBN : 978-2-07-057465-0
Titre original : « Sam Stern's Cooking up a Storm »
Publié par Walker Books Ltd, Londres, en 2005
© 2005 Sam Stern et Susan Stern
© 2006 Gallimard Jeunesse, pour la traduction française

Numéro d'édition : 152412
1er dépôt légal : août 2006
Dépôt légal : septembre 2007
Imprimé en Chine
Ce livre a été composé en VAG Rounded.